丑小鸭

普希金画像

壶口瀑布

黄河鸟瞰

风竹图（李方膺）

"挑战者"号在高空爆炸

航天飞机远离地球而去

虎

马

义务教育课程标准实验教科书

语文

YUWEN

七年级 下册

课 程 教 材 研 究 所
中学语文课程教材研究开发中心 编著

人民教育出版社

义务教育课程标准实验教科书

语 文

七年级 下册

课 程 教 材 研 究 所
中学语文课程教材研究开发中心　编著

*

人民教育出版社　出版

（北京市海淀区中关村南大街 17 号院 1 号楼　邮编：100081）

网址：http://www.pep.com.cn

广 东 教 材 出 版 中 心 重 印

广 东 省 新 华 书 店 发 行

广 东 新 华 印 刷 有 限 公 司 印 装

*

开本：890 毫米×1240 毫米　1/32　彩插：4 页　印张：8.75　字数：170 000
2008 年 7 月第 3 版　2014 年 12 月第 16 次印刷
印数：7,984,601 - 8,161,200　（2015 春）
ISBN 978-7-107-14904-7/G・7994（课）　定价：5.62 元

批准文号：粤发改价格〔2015〕18 号　　举报电话：12358

写在前面

亲爱的同学：

新学期开始了。面对崭新的语文课本，你又一阶段的语文学习之旅启程了。

在旅行中，你将追寻丑小鸭变成白天鹅的苦难历程，聆听《黄河颂》的雄壮旋律，瞻仰"两弹"元勋邓稼先的光辉形象，欣赏文化艺术的奇光异彩，感受探险英雄的壮志豪情，探索动物世界的无穷奥秘……一篇篇短小精美的课文，是一道道精神的美味，散发着芳香，让你尽情享受；一次次综合性学习，是一次次精神的探险，让你流连忘返。

在旅行中，你将尽情地漫游。生活有多么广阔，语文世界就有多么广阔。不仅在课堂上、在教科书中学语文，还要在课堂外、在生活中学语文。一篇课文，一道习题，就是千里之行的一小步，语文世界的广阔天地有无限风光在召唤着你。

在旅行中，你将看到语文与历史、地理、生物等学科，有着不可分割的联系。学语文，也在学其他学科；学其他学科，也在学语文。

在旅行中，你将看到当代信息社会的"投影"。课本将引导你利用各种媒体，广开语文资源，搜集语文信息，并学会与人共享。

这次旅行成功与否的关键在于你自己。你能主动地在实践中丰富人文素养，提高语文能力吗？你能积极地与同学们切磋学问，砥砺思想，共同完成学习任务吗？你能质疑问难，深入探究问题吗？相信你能，一定能！

祝

旅途愉快，马到成功！

编　者

2013 年 9 月

目录

第三单元

阅读

第四单元

第五单元

名著导读

附录

篇目前没有标 * 的是精读课文，标有 * 的是略读课文。

第一单元

在我们成长的过程中，有幸福的回忆，美好的向往，也会有小小的烦恼。这个单元的文章，或记录作者成长的足迹，或展示他人成长的历程，都给我们以有益的启迪。

学习这个单元，要整体把握课文内容，并结合自己的经历和体验，深入体味文中的情感，注意学习文章的表达技巧。

① 从百草园到三味书屋①

鲁迅

提起鲁迅，人们常常会想到他的严肃、庄重，但是打开他的童年之窗，我们会发现，那里却是另外一道风景：灿烂的春光中有童真，无味的冬天里也有童趣；自由的玩耍中充满幻想，严肃的学习中也不乏快乐。让我们一起走进鲁迅的童年，探索一下他成长的足迹吧。

我家的后面有一个很大的园，相传叫作百草园。现在是早已并②屋子一起卖给朱文公的子孙③了，连那最末次的相见也已经隔了七八年，其中似乎确凿④只有一些野草；但那时却是我的乐园。

---

① 选自《朝花夕拾》（《鲁迅全集》第2卷，人民文学出版社2005年版）。
②〔并〕连同。 ③〔朱文公的子孙〕这里只是指一家姓朱的人家。朱文公，即朱熹（1130—1200），南宋哲学家、教育家。"文"是朱熹的谥号。 ④〔确凿（záo）〕确实。

　　不必说碧绿的菜畦①，光滑的石井栏，高大的皂荚树②，紫红的桑椹③；也不必说鸣蝉在树叶里长吟④，肥胖的黄蜂伏在菜花上，轻捷⑤的叫天子（云雀）⑥忽然从草间直窜向云霄里去了。单是周围的短短的泥墙根一带，就有无限趣味。油蛉⑦在这里低唱，蟋蟀们在这里弹琴。翻开断砖来，有时会遇见蜈蚣；还有斑蝥⑧，倘若用手指按住它的脊梁，便会拍的一声，从后窍⑨喷出一阵烟雾。何首乌⑩藤和木莲⑪藤缠络着，木莲有莲房⑫一般的果实，何首乌有拥肿⑬的根。有人说，何首乌根是有像人形的，吃了便可以成仙，我于是常常拔它起来，牵连不断地拔起来，也曾因此弄坏了泥墙，却从来没有见过有一块根像人样。如果不怕刺，还可以摘到覆盆子⑭，像小珊瑚珠⑮

---

①〔菜畦（qí）〕菜地。畦，有土埂围着的一块块长方形田地。　②〔皂荚（jiá）树〕也叫"皂角树"，一种乔木，果实（皂荚）像扁豆，长七八寸，捣碎了泡水，可以洗衣服。　③〔桑椹（shèn）〕桑树的果实。现在一般写作"桑葚"。　④〔长吟〕长声鸣叫。　⑤〔轻捷〕轻快。　⑥〔叫天子（云雀）〕一种形状像雀的鸟，飞得很高，叫得很响亮，喜欢捕食小虫。　⑦〔油蛉（líng）〕就是"金钟儿"，也叫"铃虫"，形状像西瓜子，黑色，昼夜鸣叫。　⑧〔斑蝥（máo）〕一种昆虫，体长六七厘米，颜色美丽，爱捕食小虫。这里说的斑蝥是类似斑蝥的"行夜虫"，俗称"放屁虫"。　⑨〔后窍〕这里指斑蝥的肛门。　⑩〔何首乌〕多年生蔓草，根粗大，可以入药。　⑪〔木莲〕一种蔓生的常绿灌木。⑫〔莲房〕莲蓬。　⑬〔拥肿（yōngzhǒng）〕这里形容何首乌块根的粗大。现在写作"臃肿"。　⑭〔覆盆子〕一种落叶灌木，有刺，开淡红色花，果实可食，又可入药。　⑮〔珊瑚（shānhú）珠〕珊瑚制成的珠子。珊瑚，海洋里一种腔肠动物的分泌物聚集而成的东西，可以做装饰品。

攒①成的小球，又酸又甜，色味都比桑椹要好得远。

长的草里是不去的，因为相传这园里有一条很大的赤练蛇。

长妈妈②曾经讲给我一个故事听：先前，有一个读书人住在古庙里用功，晚间，在院子里纳凉的时候，突然听到有人在叫他。答应着，四面看时，却见一个美女的脸露在墙头上，向他一笑，隐去了。他很高兴；但竟给那走来夜谈的老和尚识破了机关③。说他脸上有些妖气，一定遇见"美女蛇"了；这是人首蛇身的怪物，能唤人名，倘一答应，夜间便要来吃这人的肉的。他自然吓得要死，而那老和尚却道无妨，给他一个小盒子，说只要放在枕边，便可高枕而卧。他虽然照样办，却总是睡不着，——当然睡不着的。到半夜，果然来了，沙沙沙！门外像是风雨声。他正抖作一团时，却听得豁的一声，一道金光从枕边飞出，外面便什么声音也没有了，那金光也就飞回来，敛④在盒子里。后来呢？后来，老和尚说，这是飞蜈蚣，它能吸蛇的脑髓，美女蛇就被它治死了。

结末的教训是：所以倘有陌生的声音叫你的名字，你万不可答应他。

这故事很使我觉得做人之险，夏夜乘凉，往往有些担

---

①〔攒（cuán）〕凑在一块儿。　②〔长（cháng）妈妈〕鲁迅小时候家里的女工，常给鲁迅讲故事。下文的"阿长"也是指她。③〔机关〕这里是秘密的意思。　④〔敛（liǎn）〕收拢。

心，不敢去看墙上，而且极想得到一盒老和尚那样的飞蜈蚣。走到百草园的草丛旁边时，也常常这样想。但直到现在，总还没有得到，但也没有遇见过赤练蛇和美女蛇。叫我名字的陌生声音自然是常有的，然而都不是美女蛇。

冬天的百草园比较的无味；雪一下，可就两样了。拍雪人（将自己的全形印在雪上）和塑雪罗汉①需要人们鉴赏②，这是荒园，人迹罕至③，所以不相宜，只好来捕鸟。薄薄的雪，是不行的；总须积雪盖了地面一两天，鸟雀们久已无处觅食的时候才好。扫开一块雪，露出地面，用一枝短棒支起一面大的竹筛来，下面撒些秕谷④，棒上系⑤一条长绳，人远远地牵着，看鸟雀下来啄食，走到竹筛底下的时候，将绳子一拉，便罩住了。但所得的是麻雀居多，也有白颊的"张飞鸟⑥"，性子很躁，养不过夜的。

这是闰土的父亲所传授的方法，我却不大能用。明明见它们进去了，拉了绳，跑去一看，却什么都没有，费了半天力，捉住的不过三四只。闰土的父亲是小半天便能捕获几十只，装在叉袋⑦里叫着撞着的。我曾经问他得失的

---

①〔罗汉〕佛教称断绝了一切嗜欲，解脱了烦恼的僧人。　②〔鉴赏〕鉴定和欣赏。　③〔人迹罕(hǎn)至〕少有人来。迹，足迹、脚印。罕，稀少。　④〔秕(bǐ)谷〕长得不饱满的谷粒。　⑤〔系(jì)〕打结。　⑥〔张飞鸟〕就是鹡鸰(jílíng)，头圆而黑，额纯白，形状有点像舞台上张飞的脸谱，所以浙东有的地方叫它"张飞鸟"。张飞，三国时蜀国的名将。　⑦〔叉袋〕一种装粮食的布袋或者麻袋，袋口有叉角，可以打结。

缘由，他只静静地笑道：你太性急，来不及等它走到中间去。

　　我不知道为什么家里的人要将我送进书塾①里去了，而且还是全城中称为最严厉的书塾。也许是因为拔何首乌毁了泥墙罢②，也许是因为将砖头抛到间壁的梁家去了罢，

①〔书塾〕就是私塾，旧时家庭、宗族或教师自己设立的教学处所。
②〔罢〕现在写作"吧"。

也许是因为站在石井栏上跳了下来罢……都无从①知道。总而言之：我将不能常到百草园了。Ade②，我的蟋蟀们！Ade，我的覆盆子们和木莲们！

出门向东，不上半里，走过一道石桥，便是我的先生的家了。从一扇黑油的竹门进去，第三间是书房。中间挂着一块扁③道：三味书屋；扁下面是一幅画，画着一只很肥大的梅花鹿伏在古树下。没有孔子牌位，我们便对着那扁和鹿行礼。第一次算是拜孔子，第二次算是拜先生。

第二次行礼时，先生便和蔼地在一旁答礼。他是一个高而瘦的老人，须发都花白了，还戴着大眼镜。我对他很恭敬，因为我早听到，他是本城中极方正④，质朴，博学的人。

不知从那里⑤听来的，东方朔⑥也很渊博，他认识一种虫，名曰"怪哉⑦"，冤气所化，用酒一浇，就消释⑧了。我很想详细地知道这故事，但阿长是不知道的，因为她毕竟不渊博。现在得到机会了，可以问先生。

"先生，'怪哉'这虫，是怎么一回事？……"我上了

①〔无从〕没办法。　②〔Ade〕德语，意思是"别了"或者"再见"。汉语拼音可读作 adei。　③〔扁〕现在写作"匾"。　④〔方正〕正派。　⑤〔那里〕现在写作"哪里"。　⑥〔东方朔（前154—前93）〕西汉人。以知识丰富、说话风趣著称，有不少关于他的传说。东方，复姓。　⑦〔怪哉〕传说中的一种奇怪的虫。据说汉武帝在路上遇见这种虫，不认识是什么，就问东方朔。东方朔说，这种虫是秦朝冤死在牢狱里的老百姓的化身，是忧愁结成的，放在酒里就会溶解。这种说法是不科学的。"怪哉"的意思是"稀奇啊"。　⑧〔消释〕溶解。

生书，将要退下来的时候①，赶忙问。

"不知道！"他似乎很不高兴，脸上还有怒色了。

我才知道做学生是不应该问这些事的，只要读书，因为他是渊博的宿儒②，决不至于不知道，所谓不知道者，乃是不愿意说。年纪比我大的人，往往如此，我遇见过好几回了。

我就只读书，正午习字，晚上对课③。先生最初这几天对我很严厉，后来却好起来了，不过给我读的书渐渐加多，对课也渐渐地加上字去，从三言④到五言，终于到七言。

三味书屋后面也有一个园，虽然小，但在那里也可以爬上花坛去折蜡梅花，在地上或桂花树上寻蝉蜕⑤。最好的工作是捉了苍蝇喂蚂蚁，静悄悄地没有声音。然而同窗⑥们到园里的太多，太久，可就不行了，先生在书房里便大叫起来：——

"人都到那里去了！"

人们便一个一个陆续走回去；一同回去，也不行的。

---

①〔上了生书，将要退下来的时候〕（听先生）讲完新课，（我）将要回到座位上的时候。书塾里，老师教新课叫"上生书"。上生书的时候，学生走到老师旁边，站在那里听老师讲，听讲完毕，回到自己的座位上去，所以说"退下来"。　②〔宿儒〕书念得很多的老学者。宿，长久从事某种工作的意思。　③〔对课〕旧时学习词句和准备作诗的一种练习。例如老师说"雨"，学生对"风"；老师说"柳绿"，学生对"桃红"。　④〔言〕这里是"字"的意思。　⑤〔蝉蜕(tuì)〕蝉的幼虫变为成虫时脱下的壳。　⑥〔同窗〕同在一个学校学习的人。

他有一条戒尺①，但是不常用，也有罚跪的规则，但也不常用，普通总不过瞪几眼，大声道：

"读书！"

于是大家放开喉咙读一阵书，真是人声鼎沸②。有念"仁远乎哉我欲仁斯仁至矣③"的，有念"笑人齿缺曰狗窦大开"的，有念"上九潜龙勿用"的，有念"厥土下上上错厥贡苞茅橘柚"的……先生自己也念书。后来，我们的声音便低下去，静下去了，只有他还大声朗读着：

"铁如意，指挥倜傥，一坐皆惊呢～～；金叵罗，颠倒淋漓噫，千杯未醉嗬～～……"

我疑心这是极好的文章，因为读到这里，他总是微笑起来，而且将头仰起，摇着，向后拗④过去，拗过去。

先生读书入神的时候，于我们是很相宜的。有几个便用纸糊的盔甲⑤套在指甲上做戏。我是画画儿，用一种叫

---

① 〔戒尺〕旧时书塾里教师用来责罚学生（打手心）的木板。

② 〔人声鼎沸〕形容人声喧闹。鼎，古代煮东西用的器物，圆形，三足两耳，也有方形四足的。沸，水开。鼎沸，本义是锅里的水烧开了，发出响声。　③ 〔仁远乎哉我欲仁斯仁至矣〕语见《论语·述而》。学生念的这一句和下边几句，都是古书上的一些话。老师念的是一篇赋里的话，语末三个语气词是老师读时加的。窦，念 dòu。厥，念 jué。倜傥，念tìtǎng。叵，念 pǒ。　④ 〔拗(ǎo)〕这里是用力弯曲的意思。

⑤ 〔盔(kuī) 甲〕古代军人打仗时穿戴的护身的战衣。头上戴的叫做"盔"，身上穿的叫做"甲"。

作"荆川纸①"的，蒙在小说的绣像②上一个个描下来，像习字时候的影写③一样。读的书多起来，画的画也多起来；书没有读成，画的成绩却不少了，最成片段的是《荡寇志》④和《西游记》的绣像，都有一大本。后来，为要钱用，卖给一个有钱的同窗了。他的父亲是开锡箔⑤店的；听说现在自己已经做了店主，而且快要升到绅士⑥的地位了。这东西早已没有了罢。

九月十八日⑦。

研讨与练习

一　按照要求阅读课文，讨论下面的问题。

1. 本文题为"从百草园到三味书屋"，你从这个题目得到了哪些信息？

2. 快速阅读课文，分别找出写百草园和三味书屋两部分的起止语句以及中间的过渡段。

3. 细读课文，边读边把前后两部分联系起来思考，讨论：这篇文章表现了作者怎样的思想感情？下面三种说法可供参考。

---

①〔荆川纸〕一种竹纸，薄而略透明。　②〔绣像〕明清以来附在通俗小说卷首的书中人物的白描画像。　③〔影写〕把纸蒙在帖上照着描。　④〔《荡寇志》〕清朝俞万春著的一部诬蔑农民起义的小说。⑤〔锡箔（bó）〕把锡碾得很薄，粘在纸片上，叫做"锡箔"。旧时迷信的人祭奠死者烧锡箔，说是死者能当钱用。　⑥〔绅士〕旧时地方上有地位有势力的人，一般是地主或退职官僚。　⑦〔九月十八日〕指1926年9月18日。

①用百草园的自由快乐衬托三味书屋的枯燥无味，揭露和批判封建腐朽、脱离儿童实际的私塾教育。

②用百草园的自由快乐同三味书屋的枯燥无味作对比，表现了儿童热爱大自然、喜欢自由快乐生活的心理，同时对束缚儿童身心发展的封建教育表示不满。

③通过对百草园和三味书屋的回忆，表现作者儿童时代对自然的热爱，对知识的追求，以及天真、幼稚、欢乐的心理。

二　揣摩下面的文字，回答括号中的问题。

1. 不必说碧绿的菜畦，光滑的石井栏，高大的皂荚树，紫红的桑椹；也不必说鸣蝉在树叶里长吟，肥胖的黄蜂伏在菜花上，轻捷的叫天子（云雀）忽然从草间直窜向云霄里去了。单是周围的短短的泥墙根一带，就有无限趣味。

（"不必说……也不必说……单是……"中哪个内容是强调的重点？请你仿写一段话。）

2. 也许是因为拔何首乌毁了泥墙罢，也许是因为将砖头抛到间壁的梁家去了罢，也许是因为站在石井栏上跳了下来罢……

（"我"到底知道不知道被送到私塾去的原因呢？你是从哪些词语看出来的？）

三　下面这段话中连续使用了一系列动词，准确地描述了雪地捕鸟的过程。仔细品味，然后自己写一段话，或叙述做某个游戏的过程，或描写蚂蚁搬家的经过，也试着用上一系列动词。

扫开一块雪，露出地面，用一枝短棒支起一面大的竹筛来，下面撒些秕谷，棒上系一条长绳，人远远地牵着，看鸟雀下来啄食，走到竹筛底下的时候，将绳子一拉，便罩住了。

读一读　写一写

攒　拗　确凿　菜畦　轻捷　蟋蟀　脑髓　相宜
书塾　方正　博学　蝉蜕　人迹罕至　人声鼎沸

朗读的好处

一是化无声文字为有声语言，口读耳听，口耳并用，增加了向大脑传输信息的渠道。这不仅使阅读真正活起来，而且印象深刻，便于记忆和理解。二是一边缓缓朗读，一边慢慢思考，将"读"与"思"有机结合起来，可以更好地加深对读物的理解，对那些优秀篇章、名言佳句，反复诵读，做到"读了又思，思了又读，自然有味"，乃至愈读愈有味，趣味无穷。三是声情并茂，培养语感和情感。朗读时读音响亮，抑扬顿挫，节奏分明，并将读者自身的感情融合到读物中去，这就大大增强了阅读的形象感、意蕴感和情趣感。

2 爸爸的花儿落了①

林海音

> 　　衣襟上的夹竹桃引起"我"对爸爸的回忆，回忆中有欢乐，也有感伤；有爸爸严厉的责罚，也有他绵绵的爱意。爸爸的花儿落了，"我"已不再是小孩子，"我"已经长大了。

　　新建的大礼堂里，坐满了人；我们毕业生坐在前八排，我又是坐在最前一排的中间位子上。我的襟上有一朵粉红色的夹竹桃，是临来时妈妈从院子里摘下来给我别上的，她说："夹竹桃是你爸爸种的，戴着它，就像爸爸看见你上台一样！"

　　爸爸病倒了，他住在医院里不能来。

　　昨天我去看爸爸，他的喉咙肿胀着，声音是低哑的。我告诉爸爸，行毕业典礼的时候，我将代表全体同学领毕业证书，并且致谢词。我问爸爸，能不能起来，参加我的

---

　　① 节选自《城南旧事》（北京出版社1984年版）。有改动。林海音（1918—2001），台湾作家。

毕业典礼？六年前他参加我们学校的那次欢送毕业同学同乐会时，曾经要我好好用功，六年后也代表同学领毕业证书和致谢词。今天，"六年后"到了，我真的被选做这件事。

爸爸哑着嗓子，拉起我的手笑笑说："我怎么能够去？"

但是我说："爸爸，你不去，我很害怕。你在台底下，我上台说话就不发慌了。"

"英子，不要怕，无论什么困难的事，只要硬着头皮去做，就闯过去了。"

"那么爸爸不也可以硬着头皮从床上起来到我们学校去吗？"

爸爸看着我，摇摇头，不说话了。他把脸转向墙那边，举起他的手，看那上面的指甲。然后，他又转过脸来叮嘱我：

"明天要早起，收拾好就到学校去，这是你在小学的最后一天了，可不能迟到！"

"我知道，爸爸。"

"没有爸爸，你更要自己管自己，并且管弟弟和妹妹，你已经大了，是不是？"

"是。"我虽然这么答应了，但是觉得爸爸讲的话使我很不舒服，自从六年前的那一次，我何曾再迟到过？

当我在一年级的时候，就有早晨赖在床上不起的毛病。每天早晨醒来，看到阳光照到玻璃窗上了，我的心里就是一阵愁：已经这么晚了，等起来洗脸，扎辫子，换制服，再到学校去，准又是一进教室就被罚站在门边。同学们的眼光，会一个个向你投过来，我虽然很懒惰，却也知道害羞呀！所以又愁又怕，每天都是怀着恐惧的心情，奔向学校去。最糟的是爸爸不许小孩子上学乘车的，他不管你晚不晚。

有一天，下大雨，我醒来就知道不早了，因为爸爸已经在吃早点。我听着、望着大雨，心里愁得不得了。我上学不但要晚了，而且要被妈妈逼着穿上肥大的夹袄，（是在夏天！）踢拖着不合脚的油鞋①，举着一把大油纸伞②，走向学校去！想到这么不舒服的上学，我竟有勇气赖在床上不起来了。

过一会儿，妈妈进来了。她看我还没有起床，吓了一跳，催促着我，但是我皱紧了眉头，低声向妈妈哀求说：

"妈，今天晚了，我就不去上学了吧？"

妈妈就是做不了爸爸的主，当她转身出去，爸爸就进来了。他瘦瘦高高的，站到床前来，瞪着我：

"怎么还不起来，快起！快起！"

"晚了！爸！"我硬着头皮说。

"晚了也得去，怎么可以逃学！起！"

一个字的命令最可怕，但是我怎么啦？居然有勇气不

---

①〔油鞋〕一种涂上桐油，于下雨天穿着的鞋。　　②〔油纸伞〕一种用涂上桐油的纸做伞面的雨伞。

挪窝儿①。

爸爸气极了，一把把我从床上拖起来，我的眼泪就流出来了。爸爸左看右看，结果从桌上抄起鸡毛掸子②倒转来拿，藤鞭子在空中一抡，就发出咻咻③的声音，我挨打了！

爸爸把我从床头打到床角，从床上打到床下，外面的雨声混合着我的哭声。我哭号，躲避，最后还是冒着大雨上学去了。我是一只狼狈的小狗，被宋妈抱上了洋车——第一次花钱坐车去上学。

我坐在放下雨篷的洋车里，一边抽抽搭搭地哭着，一边撩起裤脚来检查我的伤痕。那一条条鼓起来的鞭痕，是红的，而且发着热。我把裤脚向下拉了拉，遮盖住最下面的一条伤痕，我最怕被同学耻笑。

虽然迟到了，但是老师并没有罚我站，这是因为下雨天可以原谅的缘故。

老师叫我们先静默再读书。坐直身子，手背在身后，闭上眼睛，静静地想五分钟。老师说：想想看，你是不是听爸妈和老师的话？昨天的功课有没有做好？今天的功课全带来了吗？早晨跟爸妈有礼貌地告别了吗？……我听到这儿，鼻子抽搭了一下，幸好我的眼睛是闭着的，泪水不

---

①〔挪窝儿〕离开原来所在的地方，这里指起床。　②〔鸡毛掸（dǎn）子〕用鸡毛绑成的清除灰尘的用具。　③〔咻咻（xiūxiū）〕模拟挥舞鞭子时发出的声响。

至于流出来。

　　静默之中，我的肩头被拍了一下，急忙地睁开了眼，原来是老师站在我的位子边。他用眼神告诉我，叫我向教室的窗外看去，我猛一转头，是爸爸那瘦高的影子！

　　我刚安静下来的心又害怕起来了！爸爸为什么追到学校来？爸爸点头示意招我出去。我看看老师，征求他的同意，老师也微笑地点点头，表示答应我出去。

　　我走出了教室，站在爸爸面前。爸爸没说什么，打开了手中的包袱，拿出来的是我的花夹袄。他递给我，看着我穿上，又拿出两个铜板来给我。

　　后来怎么样了，我已经不记得，因为那是六年以前的事了。只记得，从那以后，到今天，每天早晨我都是等待着校工开大铁栅栏校门的学生之一。冬天的清晨站在校门前，戴着露出五个手指头的那种手套，举了一块热乎乎的烤白薯在吃着；夏天的早晨站在校门前，手里举着从花池里摘下的玉簪花①，送给亲爱的韩老师，是她教我跳舞的。

　　啊！这样的早晨，一年年都过去了，今天是我最后一天在这学校里啦！

　　当当当，钟声响了，毕业典礼就要开始。看外面的天，有点阴，我忽然想，爸爸会不会忽然从床上起来，给我送来花夹袄？我又想，爸爸的病几时才能好？妈妈今早的眼睛为什么红肿着？院里大盆的石榴和夹竹桃今年爸爸

---

　　①〔玉簪（zān）花〕一种庭园观赏植物，花白色，芳香。

都没有给上麻渣①，他为了叔叔给日本人害死的事，急得吐血了，到了五月节，石榴花开得没有那么红，那么大。如果秋天来了，爸爸还要买那样多的菊花，摆满在我们的院子里、廊檐下、客厅的花架上吗？

爸爸是多么喜欢花。

每天他下班回来，我们在门口等他，他把草帽推到头后面，抱起弟弟，经过自来水龙头，拿起灌满了水的喷水壶，唱着歌儿走到后院来。他回家来的第一件事就是浇花。那时太阳快要下去了，院子里吹着凉爽的风，爸爸摘一朵茉莉插到瘦鸡妹妹的头发上。陈家的伯伯对爸爸说："老林，你这样喜欢花，所以你太太生了一堆女儿！"我有四个妹妹，只有两个弟弟。我才十二岁……

我为什么总想到这些呢？韩主任已经上台了。他很正经地说："各位同学都毕业了，就要离开上了六年的小学

---

① 〔麻渣〕芝麻、亚麻等种子榨油后留下的渣滓，可以做肥料。

到中学去读书，做了中学生就不是小孩子了，当你们回到小学来看老师的时候，我一定高兴地看到你们都长高了，长大了……”

于是我唱了五年的骊歌①，现在轮到同学们唱给我们送别："长亭外，古道边，芳草碧连天。问君此去几时来，来时莫徘徊！天之涯，地之角，知交半零落，人生难得是欢聚，唯有别离多……"

我哭了，我们毕业生都哭了。我们是多么喜欢长高了变成大人，我们又是多么怕呢！当我们回到小学来的时候，无论长得多么高，多么大，老师！你们要永远拿我当个孩子呀！

做大人，常常有人要我做大人。

宋妈临回她的老家的时候说：

"英子，你大了，可不能跟弟弟再吵嘴！他还小。"

兰姨娘跟着那个四眼狗②上马车的时候说：

"英子，你大了，可不能招你妈妈生气了！"

蹲在草地里的那个人③说：

"等到你小学毕业了，长大了，我们看海去。"

这些人都随着我的长大没有影子了。他们是跟着我失去的童年一起失去了吗？

①〔骊(lí)歌〕告别的歌。　②〔四眼狗〕对戴眼镜的人的戏称。这里指代英子叫的德先叔，北京大学学生，当时的进步青年。　③〔蹲在草地里的那个人〕英子小时候遇到的一个买卖旧货的小贩，后因偷东西被捕。

爸爸也不拿我当孩子了，他说：

"英子，去把这些钱寄给在日本读书的陈叔叔。"

"爸爸！"

"不要怕，英子，你要学做许多事，将来好帮着你妈妈。你最大。"

于是他数了钱，告诉我怎样到东交民巷的正金银行去寄这笔钱——到最里面的台子上去要一张寄款单，填上"金柒拾元整"，写上日本横滨的地址，交给柜台里的小日本儿！

我虽然很害怕，但是也得硬着头皮去——这是爸爸说的，无论什么困难的事，只要硬着头皮去做，就闯过去了。

"闯练，闯练，英子。"我临去时爸爸还这样叮嘱我。

我手里捏紧一卷钞票，心情紧张地到银行去。等到从最高台阶的正金银行出来，看着东交民巷街道中的花圃种满了蒲公英，我很高兴地想：闯过来了，快回家去，告诉爸爸，并且要他明天在花池里也种满了蒲公英。

快回家去！快回家去！拿着刚发下来的小学毕业文凭——红丝带子系着的白纸筒，催着自己，我好像怕赶不上什么事情似的，为什么呀？

进了家门，静悄悄的，四个妹妹和两个弟弟都坐在院子里的小板凳上。他们在玩沙土，旁边的夹竹桃不知什么时候垂下了好几枝子，散散落落的，很不像样，是因为爸爸今年没有收拾它们——修剪、捆扎和施肥。

　　石榴树大盆底下也有几粒没有长成的小石榴，我很生气，问妹妹们：

　　"是谁把爸爸的石榴摘下来的？我要告诉爸爸去！"

　　妹妹们惊奇地睁大了眼，摇摇头说："是它们自己掉下来的。"

　　我捡起小青石榴。缺了一根手指头的厨子老高从外面进来了，他说：

　　"大小姐，别说什么告诉你爸爸了，你妈妈刚从医院来了电话，叫你赶快去，你爸爸已经……"

　　他为什么不说下去了？我忽然着急起来，大声喊着说：

　　"你说什么？老高。"

　　"大小姐，到了医院，好好儿劝劝你妈，这里就数你大了！就数你大了！"

　　瘦鸡妹妹还在抢燕燕的小玩意儿，弟弟把沙土灌进玻璃瓶里。是的，这里就数我大了，我是小小的大人。我对老高说：

　　"老高，我知道是什么事了，我就去医院。"我从来没有过这样的镇定，这样的安静。

　　我把小学毕业文凭，放到书桌的抽屉里，再出来，老高已经替我雇好了到医院的车子。走过院子，看那垂落的夹竹桃，我默念着：

　　爸爸的花儿落了。

　　我已不再是小孩子。

研讨与练习

一 课文中，"我"从爸爸的一席话引出对往事的回忆和眼前事的思考。阅读下面爸爸的三句话，看看课文中哪几件事与这三句话相照应。

　　1.英子，不要怕，无论什么困难的事，只要硬着头皮去做，就闯过去了。

　　2.明天要早起，收拾好就到学校去，这是你在小学的最后一天了，可不能迟到!

　　3.没有爸爸，你更要自己管自己，并且管弟弟和妹妹，你已经大了，是不是?

二 重点阅读爸爸逼"我"去上学以及毕业典礼后"我"急着回家两部分，讨论下面的问题。

　　1.前一部分回忆表明了爸爸怎样的态度和情感?对"我"的成长有什么影响?

　　2."我"真正感觉到自己长大了，你是从哪些地方看出来的?

三 "我们是多么喜欢长高了变成大人，我们又是多么怕呢!"你可能也有过这样的感受，试结合自己的体验与同学讨论:"我们"为什么既喜欢又害怕变成大人?

读一读 写一写

肿胀　叮嘱　恐惧　骊歌　花圃

③ 丑小鸭①

安徒生

作者笔下的这只丑小鸭，处处受排挤，受嘲笑，受打击。但他并没有绝望，也没有沉沦，而是始终不屈地奋斗，终于变成了一只美丽、高贵的天鹅。这一切缘于他心中那一份恒久的梦想。你我都能成为一只天鹅，你会成功的，不过有很长的路要走……

那只最后从蛋壳里爬出来的小鸭是那么丑陋，他处处挨啄，被排挤，被讪笑，不仅在鸭群中是如此，连在鸡群中也是这样。

"他实在太大！"大家都说。那只雄吐绶鸡一生下来脚上就有距②，因此他就以为自己是一个皇帝。他把自己吹得像一条鼓满了风的帆船，来势汹汹地向他走来，瞪着一

----

① 选自《安徒生童话和故事选》（人民文学出版社1956年版），叶君健译。有删节。"丑小鸭"原是一个不知来历、被遗忘在一棵牛蒡底下的天鹅蛋，一只母野鸭把他当作一只鸭蛋孵化出来。由于他的体积太庞大、太特别，处处受欺负。　②〔距〕雄鸡、雉等腿后面突出像脚趾的部分。

双大眼睛，脸涨得通红。这只可怜的小鸭不知道站在什么地方或是走到什么地方去才好。他觉得非常悲哀，因为自己长得那么丑陋，而且成了全体鸡鸭的嘲笑对象。

这是头一天的情形。后来一天比一天更糟。大家都要赶走这只可怜的小鸭；连他自己的兄弟姊妹也对他生起气来。他们老是说："你这个丑妖怪，但愿猫儿把你抓去才好！"于是妈妈也说："我希望你走远些！"鸭儿们啄他，小鸡们打他，喂鸡鸭的那个女佣人也用脚踢他。

于是他飞过篱笆逃走了。灌木林里的小鸟们惊恐地向空中飞去。"这是因为我非常丑陋的缘故！"小鸭想。于是他闭起眼睛，仍然继续逃跑。他一口气跑到一块住着许多野鸭的沼泽地。他在这儿躺了一整夜，因为他非常疲乏和沮丧。

天亮的时候，野鸭都飞起来了。他们瞧了瞧这位新来的朋友。

"你是什么人呀？"他们问。小鸭一下掉向这边，一下掉向那边，尽可能对大家恭恭敬敬地行礼。

"你真是丑得厉害！"野鸭们说。"不过只要你不跟我们族里任何人结婚，这对我们倒也没有什么大关系。"——可怜的小东西！他绝没有想到要结婚；他只希望人家准许他躺在芦苇里面，喝点沼泽里的水就够了。

他在那儿整整躺了两天。后来有两只雁——严格地讲，应该说是两只公雁，因为他们是两个男子——飞来了。他们从妈妈的蛋壳里爬出来还没有多久，因此他们非常顽皮。

　　"听着，朋友，"他们说，"你丑得可爱，连我^①都禁不住要喜欢你了。你做一只候鸟，跟我们一块儿飞走好吗？离这儿很近，另外有一块沼泽地，那里有好几只甜蜜可爱的雁儿。她们都是小姐，都会说：'嘎！'你是那么丑，可以在她们那儿碰碰你的运气！"

　　"嘛！啪！"天空中发出一阵响声。这两只公雁落到芦苇里，死了，把水染得鲜红。"嘛！啪！"又是一阵响声。整群雁儿都从芦苇里飞起来，于是又是一阵枪声响起来了。原来有人在大规模地打猎。猎人都埋伏在这沼泽地的周围，有几个人甚至还坐在伸到芦苇上面的树枝上。蓝色的烟雾像云似的弥漫在这些黑树之间，慢慢地在水面上向远方飘去。这时，猎狗都扑通扑通地从泥泞里跑过来，灯芯草和芦苇向两边倒去。这对于那只可怜的小鸭说来真是可怕的事情！他把头掉过来，藏在翅膀里。正在这时候，一只骇人的大猎狗跑来紧紧地站在他的身边。它的舌头从嘴里伸出很长，眼睛发出丑恶而可怕的光。它把鼻子顶到这小鸭的身上，露出了尖牙齿，可是——扑通！扑通——又跑开了，并没有把他抓走。

　　"啊，谢谢老天爷！"小鸭舒了一口气，"我丑得连猎狗也不咬我了！"

―――――――――――――

　　① 〔我〕译者注：这儿的"我"是单数，跟前面的"他们说"不一致，但原文是如此。

他安静地躺下来。枪声还在芦苇里响着，枪弹一发接着一发地射出来。

天快黑的时候，四周才恢复静寂。可是这只可怜的小鸭还是不敢站起来。他等了好几个钟头，才敢向四周望一眼，于是他急忙跑出这块沼泽地，拼命地跑，向田野跑去，向牧场跑去。这时正刮着狂风，他跑起来非常困难。

到天黑的时候，他来到一个简陋的农家小屋。它是那么残破，甚至不知道应该向哪一边倒才好——因此它也就没有倒。狂风在小鸭身边呼号得非常厉害，他只好迎着风坐下来。风越吹越凶。他忽然看到那门上的铰链有一个已经松了，门也歪了，他可以从缝隙钻进屋子里去，他便钻进去了。

屋子里有一个老太婆和她的猫儿，还有一只母鸡，他们住在一起。老太婆把这只猫儿叫"小儿子"。他能把背拱得很高，发出咪咪的叫声来；他的身上还能迸出火花，不过要他这样做，你得反抚他的毛才成。那只母鸡的腿又短又小，因此她叫"短腿鸡"。她生下的蛋很好，所以老太婆爱她像爱自己的亲生孩子一样。

第二天早晨，他们马上注意到了这只来历不明的小鸭。那只猫儿开始咪咪地叫，那只母鸡也咯咯地喊起来。

"这是怎么一回事儿?"老太婆说，同时朝四周看。不过她的眼睛有点花，所以她以为小鸭是一只肥鸭，走错了路，才跑到这儿来了。"这真是少有的运气!"她说，"现在我可以有鸭蛋了。我只希望他不是一只公鸭才好!我得弄清楚!"

这样，小鸭就在这里经受了三个星期的考验，可是他什么蛋也没有生下来。那只猫儿是这家的绅士，那只母鸡是这家的太太，所以他们一开口就说："我们和这世界!"因为他们以为他们就是半个世界，而且还是最好的那一半呢。小鸭觉得自己也可以有不同的看法，但是他的这种态度，母鸡却忍受不了。

"你能够生蛋吗?"她问。

"不能!"

"那么就请你不要发表意见。"

于是雄猫说："你能拱起背，发出咪咪的叫声和迸出火花吗?"

"不能!"

"那么，当聪明人在讲话的时候，你就没有发表意见的必要!"

小鸭坐在一个墙角里，心情非常不好。这时他想起了新鲜空气和阳光。他有一种奇怪的渴望：想到水里去游泳。最后他实在忍不住了，不得不把心事对母鸡说出来。

"你在起什么念头?"母鸡问。"你没有事情可干，所以你才有这些怪念头。你只要生几个蛋，或者咯咯地叫几声，那么你的这些怪念头也就会没有了。"

"不过，在水里游泳是多么痛快呀!"小鸭说，"让水淹没你的头，往水底一钻，那是多么痛快呀!"

"是的，那一定很痛快!"母鸡说，"你简直是在发疯。

你去问问猫儿吧——在我所认识的一切朋友当中，他是最聪明的——你去问问他喜欢不喜欢在水里游泳，或者钻进水里去。我姑且不讲我自己。你去问问你的主人——那个老太婆——吧，世界上再也没有比她更聪明的人了！你以为她想去游泳，让水淹没她的头顶吗？"

"你们不了解我。"小鸭说。

"我们不了解你？那么请问谁了解你呢？你决不会比猫儿和女主人更聪明吧——我先不提我自己。孩子，你不要自以为了不起！对于你现在所得到的照顾，你应该感谢上帝才是。你现在到一个温暖的屋子里来，有了一些朋友，而且还可以向他们学习很多的东西，不是吗？不过你是一个废物，跟你在一起真不痛快。你可以相信我，我对你说这些不好听的话，完全是为了帮助你呀。只有这样，你才知道谁是你的真正朋友！请你注意学习生蛋，或者咯咯地叫，或者迸出火花吧！"

"我想我还是走到广大的世界里去好。"小鸭说。

"好吧，你去吧！"母鸡说。

于是小鸭就走了。他一会儿在水上游，一会儿钻进水里去。不过，因为他的样子丑，所有的动物都瞧不起他。秋天来了。树林里的叶子变成了黄色和棕色。风卷起它们，把它们带到空中飞舞。空中是很冷的，云块沉重地载着冰雹和雪花，低低地悬着。乌鸦站在篱笆上，冻得只管"呱——呱"地叫。是的，你只要想想这情景，就会觉得冷了。这只可怜的小鸭的确没有舒服的时候。

一天晚上，当美丽的太阳正在落下去的时候，有一群漂亮的大鸟从灌木林里飞出来。小鸭从来没有看到过这样美丽的东西。他们白得发亮，脖颈又长又柔软。这就是天鹅。他们发出一种奇异的叫声，展开他们美丽的长翅膀，从寒冷的地带飞向温暖的国度，飞向不结冰的湖泊。

他们飞得很高——那么高，丑小鸭不禁感到一种说不出的兴奋。他在水上像一个车轮似的不停地旋转着，同时把自己的脖子高高地向他们伸着，发出一种响亮的、奇异的叫声，连他自己也害怕起来。啊！他再也忘不了这些美丽的鸟儿，这些幸福的鸟儿。当他看不见他们的时候，他就沉入水底；但是当他再冒到水面上来的时候，却感到非常空虚。他不知道这些鸟儿的名字，也不知道他们要飞到什么地方去。不过他爱他们，好像他从来还没有爱过什么东西似的。他并不嫉妒他们。他怎能梦想有他们那样美丽呢？只要别的鸭儿准许他跟他们生活在一起，他就已经很满意了——可怜的丑东西。

冬天变得很冷，非常的冷！小鸭不得不在水上游来游去，好使水面不至于完全冻结成冰。不过他游动的这个小范围，一天晚上比一天晚上缩小。水正在结冰，人们可以听到冰块的碎裂声。小鸭只好用他的一双腿不停地游动，免得水完全被冰封住。最后，他终于昏倒了，躺着一动也不动，跟冰块结在一起。

大清早，有一个种田人经过这儿。他看到了这只小鸭，就走过去用木屐①把冰块踏破，然后把他抱回家，送给他的妻子。小鸭这时才渐渐地恢复了知觉。

小孩子们都想跟他玩，不过小鸭以为他们想要伤害他。他一害怕就跳到牛奶盘里去了，把牛奶溅得满屋子都是。女人惊叫起来，拍着双手。这么一来，小鸭就飞到黄油盆里去了，然后就飞进面粉桶里去了，最后才爬出来。这时他的样子才好看呢！女人尖声地叫起来，拿着火钳要打他。小孩子们挤做一团，想抓住他。他们又是笑，又是叫！——幸好大门是开着的。他便钻进灌木林中新下的雪里面去。他躺在那里，几乎像昏倒了一样。

要是只讲他在这严冬所受的困苦和灾难，那么这个故事也就太悲惨了。当太阳又开始温暖地照着大地的时候，他正躺在沼泽地的芦苇里。百灵鸟唱起歌来了——这是一个美丽的春天。

忽然间，他举起了翅膀：这翅膀拍起来比以前有力得多，马上就把他托起来飞走了。他不知不觉地已经飞进了一座大花园。这儿苹果树正开着花；紫丁香散发着香气，它那又长又绿的枝条垂到弯弯曲曲的溪流上。啊，这儿美丽极了，充满了春天的气息！三只美丽的白天鹅从树阴里一直游到他面前来。他们轻飘飘地浮在水上，羽毛发出飕飕的响声。小鸭认出了这些美丽的动物，于是心里感到一种说不出的难过。

---

① 〔木屐（jī）〕木头鞋。

　　"我要飞向他们，飞向这些高贵的鸟儿！可是他们会把我弄死的，因为我是这样丑，居然敢接近他们。不过这没有什么关系！这比被人们打死，被鸭子咬，被鸡群啄，被看管养鸭场的那个女佣人踢和在冬天受苦要好得多！"于是他飞到水里，向这些美丽的天鹅游去。这些动物看到他，马上就竖起羽毛向他游来。"请你们弄死我吧！"这只可怜的小鸭说。他把头低低地垂到水上，只等着一死。但是他在这清亮的水上看到了什么呢？他看到了自己的倒影。但那不再是一只粗笨的、深灰色的、又丑又令人讨厌的鸭子，而是——一只天鹅！

　　只要你是一只天鹅蛋，就算是生在养鸭场里也没有什么关系。

　　过去他遭受过那么多的不幸和苦难，可是现在他感到非常高兴。他现在清楚地认识到，幸福和美正在向他招手。——许多大天鹅在他周围游泳，用嘴来亲他。

　　花园里来了几个小孩子。他们向水上抛来许多面包片和麦粒。最小的那个孩子喊道：

　　"你们看那只新来的天鹅！"别的孩子也兴高采烈地叫起来："是的，又来了一只新的天鹅！"于是他们拍着手，跳起舞来，向他们的爸爸和妈妈跑去。他们把更多的面包和糕饼向水里抛去，同时大家都说："这新来的一只最美！那么年轻，那么好看！"那些老天鹅不禁在他面前低下头来。

　　他感到非常难为情。他把头藏到翅膀里面，不知道怎么办才好。他感到太幸福了，但他一点也不骄傲，因为一颗好的心是永远不会骄傲的。他想起他曾经怎样被人迫害和讥笑过，而现在他却听到大家说他是美丽的鸟中最美丽的一只。紫丁香在他面前把枝条垂到水里去。太阳照得很温暖，很愉快。他竖起羽毛，伸出他细长的颈，从内心发出一个快乐的声音：

"当我还是一只丑小鸭的时候，我做梦也没有想到会有这么幸福！"

研讨与练习

一　丑小鸭遭到哪些歧视和打击？在这些打击面前，丑小鸭抱什么态度，有什么追求？

二　联系上下文，理解下列文字的含义，回答括号中的问题。

1. "我要飞向他们，飞向这些高贵的鸟儿！可是他们会把我弄死的，因为我是这样丑，居然敢接近他们。不过这没有什么关系！这比被人们打死，被鸭子咬，被鸡群啄，被看管养鸭场的那个女佣人踢和在冬天受苦要好得多！"于是他飞到水里，向这些美丽的天鹅游去。这些动物看到他，马上就竖起羽毛向他游来。"请你们弄死我吧！"这只可怜的小鸭说。他把头低低地垂到水上，只等着一死。

（丑小鸭为什么拼死也要飞向高贵的天鹅？）

2. 只要你是一只天鹅蛋，就算是生在养鸭场里也没有什么关系。

（试阐释这句话的意思。）

3. 他感到非常难为情。他把头藏到翅膀里面，不知道怎么办才好。他感到太幸福了，但他一点也不骄傲，因为一颗好的心是永远不会骄傲的。

（大家赞美丑小鸭，丑小鸭为什么感到难为情？"一颗好的心"是指什么样的心？）

三　反复阅读本文，完成下面练习。

1. 本文是作者的自我写照。搜集、整理安徒生的生平、创作资料，看他是怎样在逆境中成才的。不妨在班上交流。

2. 联系自己的生活体验，写片段作文《丑小鸭与我》。

3. 讨论：丑小鸭形象的现实意义。

读一读　写一写

丑陋　讪笑　嫉妒　来势汹汹

④ 诗 两 首

　　在成长的道路上，阳光时时洒满你的心田，但风雨也可能不期而至。假如你觉得生活欺骗了你，你将如何面对？诗人普希金给了我们下面的叮咛和嘱咐。人生的道路不止一条，长长的一生中，我们有时不得不遭遇选择的尴尬和困惑。你该怎么办？诗人弗罗斯特将引你深思。

假如生活欺骗了你①

普希金

假如生活欺骗了你，
不要悲伤，不要心急！
忧郁的日子里须要镇静：
相信吧，快乐的日子将会来临。

---

　　① 选自《普希金诗集》（北京出版社 1987 年版）。戈宝权译。普希金（1799—1837），俄国诗人。著名诗作有《自由颂》《致大海》《致恰达耶夫》等。他的创作对俄国文学和语言的发展影响很大。

心儿永远向往着未来；

现在却常是忧郁：

一切都是瞬息，一切都将会过去；

而那过去了的，就会成为亲切的怀恋。

未选择的路①

弗罗斯特

黄色的树林里分出两条路，

可惜我不能同时去涉足，

我在那路口久久伫立，

我向着一条路极目望去，

直到它消失在丛林深处。

但我却选了另外一条路，

它荒草萋萋，十分幽寂，

显得更诱人，更美丽；

虽然在这条小路上，

很少留下旅人的足迹。

那天清晨落叶满地，

---

① 选自《中外哲理诗精选》（浙江文艺出版社1987年版）。顾子欣译。弗罗斯特（1874—1963），美国诗人。

两条路都未经脚印污染。
啊，留下一条路等改日再见！
但我知道路径延绵无尽头，
恐怕我难以再回返。

也许多少年后在某个地方，
我将轻声叹息将往事回顾：
一片树林里分出两条路——
而我选择了人迹更少的一条，
从此决定了我一生的道路。

研讨与练习

一　《假如生活欺骗了你》通篇都是劝说的口吻，没有什么具体
　　的形象，它却是一首著名的诗，为世界各国人民广为传诵。
　　你喜欢这首诗吗？为什么？
二　朗读《未选择的路》，说说"路"包含了什么深刻的含义，
　　你从中悟出什么人生的哲理。
三　背诵《假如生活欺骗了你》。

读一读 写一写

瞬息　幽寂　延绵　荒草萋萋

⑤ 伤仲永①

王安石

> 一个人能否成才，与天资有关，更与后天所受的教育以及自身的学习有关。本文作者为一位"神童"最终变成常人而深感惋惜，并发表议论，以此引发人们的思考。

金溪②民方仲永，世隶耕③。仲永生五年，未尝④识书具⑤，忽啼求之。父异焉⑥，借旁近⑦与之，即书诗四句，并自为其名⑧。其诗以养父母、收族⑨为意，传一乡秀才观之。自是⑩指物作诗立就⑪，其文理⑫皆有可观者。

---

① 选自《临川先生文集》（中华书局1959年版）。伤，哀伤，叹惜。
②〔金溪〕地名，现在江西金溪。　③〔世隶耕〕世代耕田为业。隶，属于。　④〔尝〕曾经。　⑤〔书具〕书写工具，指笔、墨、纸、砚等。　⑥〔异焉〕对此（感到）诧异。　⑦〔旁近〕附近。这里指邻居。　⑧〔自为其名〕自己题上自己的名字。　⑨〔收族〕和同一宗族的人搞好关系。收，聚、团结。　⑩〔自是〕从此。
⑪〔立就〕立刻完成。　⑫〔文理〕文采和道理。

邑人①奇之，稍稍②宾客其父③，或以钱币乞④之。父利其然⑤也，日扳⑥仲永环谒⑦于邑人，不使学。

余闻之也久。明道⑧中，从先人⑨还家，于舅家见之，十二三矣。令作诗，不能称⑩前时之闻。又七年，还自扬州，复到舅家问焉。曰："泯然众人矣⑪。"

王子⑫曰：仲永之通悟⑬，受之天⑭也。其受之天也，贤于材人⑮远矣。卒之为众人，则其受于人⑯者不至⑰也。彼其⑱受之天也，如此其贤也，不受之人，且为众人；今夫不受之天，固众人，又不受之人，得为众人而已耶⑲？

①〔邑人〕同县的人。 ②〔稍稍〕渐渐。 ③〔宾客其父〕请他父亲去做客。宾客，这里是以宾客之礼相待的意思。 ④〔乞〕求取，意思是花钱求仲永题诗。 ⑤〔利其然〕以此为有利可图。 ⑥〔扳(pān)〕通"攀"，牵，引。 ⑦〔环谒(yè)〕四处拜访。 ⑧〔明道〕宋仁宗年号（1032—1033）。 ⑨〔先人〕这里指王安石死去的父亲。 ⑩〔称(chèn)〕相当。 ⑪〔泯(mǐn)然众人矣〕完全如同常人了。泯然，消失。指原有的特点完全消失了。众人，常人。矣，语气词。 ⑫〔王子〕王安石的自称。 ⑬〔通悟〕通达聪慧。 ⑭〔受之天〕"受之于天"的省略，意思是先天得到的。受，承受。 ⑮〔贤于材人〕胜过有才能的人。贤，胜过、超过。材人，有才能的人。 ⑯〔受于人〕指后天所受的教育。天、人对举，一指先天的禀赋，一指后天的教育。 ⑰〔不至〕没有达到（要求）。 ⑱〔彼其〕他。 ⑲〔得为众人而已耶〕能够成为普通人就为止了吗？意思是比普通人还要不如。

研讨 与 练习

一　仔细阅读课文，回答下列问题。

　　1.方仲永的变化经历了哪几个阶段？

　　2.方仲永由天资过人变得"泯然众人"，原因是什么？

　　3.最后一段的议论讲了什么道理？

二　熟读全文，参照以下示例，注意句中的停顿。

　　1.借旁近/与之，即/书诗四句，并/自为其名。

　　2.其诗/以养父母、收族为意……

　　3.余闻之也/久。

三　翻译下列句子，注意加点的词的意思。

　　1.邑人奇之，稍稍宾客其父，或以钱币乞之。

　　2.父利其然也，日扳仲永环谒于邑人，不使学。

　　3.其受之天也，贤于材人远矣。卒之为众人，则其受于人者
　　　不至也。

四△以"由方仲永所想到的"为题，在课堂上即席发言，自己确
　　定发言的角度和观点。

写作

叙事要完整

写作导引

我们知道，一件事总是在一定的时间、地点发生的，总会涉及一些人物，事情也会有一定的起因、经过和结果。交代清楚这六个"要素"是叙事完整的基础。

在六个要素中，事情的起因、经过和结果是重点，而写清楚"经过"是其中的关键。要想把"经过"写得清楚、完整、有意思，需要考虑下面几个因素：

（1）是否有一条清晰的脉络，如时间先后、场景变化、情感发展等？

（2）是否有前后连贯的情节？这些情节是不是按照适当的顺序安排的？

（3）对重要的情节是否做了较为详细的描写？

（4）对涉及的人物是否做了一定程度的刻画？

以《王几何》为例，我们用上边提到的几个要素做一下分析。

线索	●第一节几何课

情节顺序	●按时间顺序写：王老师出场；反手画图形、写名字；说明自己的绰号；请同学上讲台画圆；说明画圆的用意

详细描写	●王老师出场；说明自己的绰号；请同学上讲台画圆

刻画人物	●外貌、语言、动作、神态

　　在完整地叙述事情时，特别要注意叙事的顺序。我们通常会采用顺叙，就是将一件事从起因、开始、发展到结束依序写来，因为这符合事情发展的逻辑。但是，有时为了获得特殊的效果，我们也可以变换正常的顺序，通过倒叙来突出事情的结局或某个重要的情节，以吸引读者的注意；还可以采用插叙，就是在记叙的过程当中适当穿插一些回忆，丰富叙事的内容。像《爸爸的花儿落了》，写的是毕业典礼那天，中间又穿插"闪回"许多往日的片段回忆，就是运用插叙手法的好例子。我们不妨再读一读这篇课文，体会一下作者是怎样精心组织全篇各部分的叙述顺序的。

　　要做到叙事完整，还要注意安排好文章的开头和结尾。像魏巍《我的老师》，开头点明题旨，在结尾的地方又加以呼应，使得文章有始有终，首尾连贯。这种写作手法值得我们好好学习。

写作实践

　　一　下边这几段文字顺序凌乱，条理不清。以小组为单位讨论：怎样给它们排序最好？为什么？

　　①唉，我很沮丧。我就是想去和同学们玩一天，爸爸妈妈干吗这么大动肝火？让人好伤心呀！

　　②第二天早晨，他们还是余怒未消的样子，谁也不愿意主动和对方说话。

　　③我故意往床上一躺，捂着肚子龇牙咧嘴地喊："哎哟，我好难受啊，疼死了！"爸爸妈妈吓坏了，马上跑过来，争着问我到底怎么了。看到他们这么着急，我再也忍不住了，"咯咯"地笑了起来。

　　④转念一想，爸爸妈妈还是为我好呀！解铃还需系铃人，我得想个妙计，充当和平天使。

　　⑤妈妈愣住了："文文，你不是不舒服吗？"我晃着脑袋说："是呀，为了我，爸爸妈妈成冤家，谁也不理谁，我只好喊肚子疼了。"这时，他们俩你望望我，我望望你，同时笑了起来。

　　⑥妈妈听说我在这紧要关头要出去玩，高声喊"不行不行"。爸爸却说："考试虽然重要，但也要劳逸结合。"两人各说各的，互不相让。话不投机半句多，两人越说气越大。突然，爸爸铁青着脸，"咚"一拳击在桌上。妈妈也不甘示弱，"啪"地一声把我心爱的小熊摔得粉碎。一场家庭战争全面爆发了。

　　⑦考试临近，学习紧张，我们几个要好的同学商量着周末出去放松一下。

　　【提示】

　　可以按不同的顺序排列这些材料，但要说出各自的好处。

　　二　反复朗读《未选择的路》，体会诗中"我"的形象，揣摩"我"面临选择时的复杂心理，想象"我"做出选择后可能发生的事，然后以"我"的口吻写一篇记叙文。题目自拟，不少于500字。

【提示】

1. 头脑风暴：想象当时的情境，猜想可能发生的一些细节。

2. 确定要表达的中心，围绕中心选取你认为合适的细节进行详细描写。

3. 注意开头和结尾。

三　我们都有过"第一次"：第一次读书，第一次看动画片，第一次自己出远门，第一次帮妈妈做事……请以"我的第一次"为话题，自拟题目，写一篇以记事为主的作文，不少于500字。

【提示】

1. 要求以记事为主，那就要注意记叙的六个要素，要能够将事情的经过写得清楚、完整。

2. 重点的情节要写得详细些，如当时的情境、事情的过程、人们的反应等；还要适当描写当事人的语言、动作、表情，甚至心理等。

3. 注意开头、结尾要与所拟的标题和叙述的重点相照应。

第二单元

在我们心中，"祖国"不是一个普通的名词。她意味着大地、江河、语言、文化、民族、同胞……爱祖国，就是爱这些与我们息息相关的事物。这个单元的课文，都是表现爱国主题的文学作品。一样的感情，不一样的表达，都富有动人心弦的力量。

学习这个单元，要反复朗读，整体感知课文的思想内容，培养崇高的爱国主义情操，并揣摩精彩段落和关键词句，学习语言运用的技巧。

⑥ 黄河颂①

光未然

当抗日烽火燃遍中国大地时，诗人随军行进在黄河岸边。雄奇壮丽的山河，英勇抗敌的战士，使他感受到中华民族顽强的奋斗精神与不屈的意志。于是，他向着黄河母亲，唱出了豪迈的颂歌。

（朗诵词）

啊，朋友！

黄河以它英雄的气魄，

出现在亚洲的原野；

它表现出我们民族的精神：

---

① 选自组诗《黄河大合唱》第二部《黄河颂》（解放军文艺出版社2000年版）。《黄河大合唱》是一部大型合唱音乐作品，光未然作词，冼星海谱曲。作品由八个乐章组成，它以丰富的艺术形象、壮阔的历史场景和磅礴的气势，表现出黄河儿女的英雄气概。光未然（1913—2002），本名张光年。湖北光化（今属襄阳）人。现代作家、评论家。

伟大而又坚强！

这里，

我们向着黄河，

唱出我们的赞歌。

（歌词）

我站在高山之巅，

望黄河滚滚，

奔向东南。

惊涛澎湃，

掀起万丈狂澜；

浊流宛转，

结成九曲连环；

从昆仑山下

奔向黄海之边；

把中原大地

劈成南北两面。

啊！黄河！

你是中华民族的摇篮！

五千年的古国文化，

从你这儿发源；

多少英雄的故事，

在你的身边扮演！

啊！黄河！
你是伟大坚强，
像一个巨人
出现在亚洲平原之上，
用你那英雄的体魄
筑成我们民族的屏障。
啊！黄河！
你一泻万丈，
浩浩荡荡，
向南北两岸
伸出千万条铁的臂膀。
我们民族的伟大精神，
将要在你的哺育下
发扬滋长！
我们祖国的英雄儿女，
将要学习你的榜样，
像你一样的伟大坚强！
像你一样的伟大坚强！

1939 年

研讨与练习

一　有感情地朗诵这首歌词。

二　诗人从哪些方面赞美了黄河的英雄气魄？他借歌颂黄河表达了什么感情？

三　在我们学过的诗歌中，有些诗直白抒情，风格豪迈，有些诗则委婉含蓄。你认为这首诗属于哪一种？为什么？你还能从学过的诗歌中再举出一两例吗？

读一读 写一写

巅　澎湃　狂澜　屏障　哺育　九曲连环

⑦ 最后一课①

都　德

> 这篇课文以小弗郎士的口吻，叙述了法国
> 阿尔萨斯地区遭受普军侵占以后，师生上最后
> 一堂法语课的情形。短暂的最后一课，使我们
> 深切地感受到阿尔萨斯人失去国土时悲愤、沉
> 痛的心情。

那天早晨上学，我去得很晚，心里很怕韩麦尔先生骂
我，况且他说过要问我们分词②，可是我连一个字也说不
上来。我想就别上学了，到野外去玩玩吧。

天气那么暖和，那么晴朗！

画眉③在树林边婉转地唱歌；锯木厂后边草地上，普

---

① 这篇课文是根据几种版本改写的。都德（1840—1897），法国作家。
1870—1871年，法国同普鲁士王国之间爆发战争，法国战败，被迫割
让阿尔萨斯和洛林。本文就是在这一历史背景之下创作的。　　②〔分
词〕法文里动词的一种变化形式。　　③〔画眉〕鸟名，叫声清脆悦
耳。

鲁士①兵正在操练。这些景象，比分词用法有趣多了；可是我还能管住自己，急忙向学校跑去。

我走过镇公所的时候，看见许多人站在布告牌前边。最近两年来，我们的一切坏消息都是从那里传出来的：败仗啦，征发②啦，司令部的各种命令啦——我也不停步，只在心里思量："又出了什么事啦？"

铁匠华希特带着他的徒弟也挤在那里看布告，他看见我在广场上跑过，就向我喊："用不着那么快呀，孩子，你反正是来得及赶到学校的！"

我想他在拿我开玩笑，就上气不接下气地赶到韩麦尔先生的小院子里。

平常日子，学校开始上课的时候，总有一阵喧闹，就是在街上也能听到。开课桌啦，关课桌啦，大家怕吵捂着耳朵大声背书啦……还有老师拿着大铁戒尺在桌子上紧敲着，"静一点，静一点……"

我本来打算趁那一阵喧闹偷偷地溜到我的座位上去；可是那一天，一切偏安安静静的，跟星期日的早晨一样。我从开着的窗子望进去，看见同学们都在自己的座位上了；韩麦尔先生呢，踱来踱去，胳膊底下夹着那怕人的铁戒尺。我只好推开门，当着大家的面走进静悄悄的教室。

---

　　①〔普鲁士〕18 世纪德意志境内一个最强的军事专制的国家。它在普法战争中击败了法国，最后统一了德意志。　　②〔征发〕政府向人民征调人力或财物。

你们可以想象，我那时脸多么红，心多么慌！

可是一点儿也没有什么。韩麦尔先生见了我，很温和地说："快坐好，小弗郎士，我们就要开始上课，不等你了。"

我一纵身跨过板凳就坐下。我的心稍微平静了一点儿，我才注意到，我们的老师今天穿上了他那件挺漂亮的绿色礼服，打着皱边的领结，戴着那顶绣边的小黑丝帽。这套衣帽，他只在督学①来视察或者发奖的日子才穿戴。而且整个教室有一种不平常的严肃的气氛。最使我吃惊的是，后边几排一向空着的板凳上坐着好些镇上的人，他们也跟我们一样肃静。其中有郝叟②老头儿，戴着他那顶三角帽，有从前的镇长，从前的邮递员，还有些旁的人。个个看来都很忧愁。郝叟还带着一本书边破了的初级读本，他把书翻开，摊在膝头上，书上横放着他那副大眼镜。

我看见这些情形，正在诧异，韩麦尔先生已经坐上椅子，像刚才对我说话那样，又柔和又严肃地对我们说："我的孩子们，这是我最后一次给你们上课了。柏林已经来了命令，阿尔萨斯和洛林的学校只许教德语了③。新老师明天就到。今天是你们最后一堂法语课，我希望你们多

---

①〔督学〕教育行政机关负责视察、监督学校工作的人员。　②〔郝叟〕法文人名的音译。　③〔柏林已经来了命令……只许教德语了〕柏林是当时普鲁士的首都。普法战争中法国失败，法国的阿尔萨斯和洛林两个省（都是欧洲西部的钢铁产地）被迫割让给普鲁士，普鲁士命令这两个省的学校只能教德语。

多用心学习。"

我听了这几句话，心里万分难过。啊，那些坏家伙①，他们贴在镇公所布告牌上的，原来就是这么一回事！

我的最后一堂法语课！

我几乎还不会作文呢！我再也不能学法语了！难道这样就算了吗？我从前没好好学习，旷了课去找鸟窝，到萨尔河上去溜冰……想起这些，我多么懊悔！我这些课本，语法啦，历史啦，刚才我还觉得那么讨厌，带着又那么沉重，现在都好像是我的老朋友，舍不得跟它们分手了。还有韩麦尔先生也一样。他就要离开了，我再也不能看见他了！想起这些，我忘了他给我的惩罚，忘了我挨的戒尺。

可怜的人！

他穿上那套漂亮的礼服，原来是为了纪念这最后一课！现在我明白了，镇上那些老年人为什么来坐在教室里。这好像告诉我，他们也懊悔当初没常到学校里来。他们像是用这种方式来感谢我们老师四十年来忠诚的服务，来表示对就要失去的国土的敬意。

我正想着这些的时候，忽然听见老师叫我的名字。轮到我背书了。天啊，如果我能把那条出名难学的分词用法从头到尾说出来，声音响亮，口齿清楚，又没有一点儿错误，那么任何代价我都愿意拿出来的。可是开头几个字我就弄糊涂了，我只好站在那里摇摇晃晃，心里挺难受，头

---

①〔那些坏家伙〕指占领阿尔萨斯和洛林的普鲁士军队。

也不敢抬起来。我听见韩麦尔先生对我说：

"我也不责备你，小弗郎士，你自己一定够难受的了。这就是了。大家天天都这么想：'算了吧，时间有的是，明天再学也不迟。'现在看看我们的结果吧。唉，总要把学习拖到明天，这正是阿尔萨斯人最大的不幸。现在那些家伙就有理由对我们说了：'怎么？你们还自己说是法国人呢，你们连自己的语言都不会说，不会写！……'不过，可怜的小弗郎士，也并不是你一个人的过错，我们大家都有许多地方应该责备自己呢。

"你们的爹妈对你们的学习不够关心。他们为了多赚一点儿钱，宁可叫你们丢下书本到地里，到纱厂里去干活儿。我呢，我难道就没有应该责备自己的地方吗？我不是常常让你们丢下功课替我浇花吗？我去钓鱼的时候，不是干脆就放你们一天假吗？……"

接着，韩麦尔先生从这一件事谈到那一件事，谈到法国语言上来了。他说，法国语言是世界上最美的语言——

最明白，最精确；又说，我们必须把它记在心里，永远别忘了它，亡了国当了奴隶的人民，只要牢牢记住他们的语言，就好像拿着一把打开监狱大门的钥匙。说到这里，他就翻开书讲语法。真奇怪，今天听讲，我全都懂。他讲的似乎挺容易，挺容易。我觉得我从来没有这样细心听讲过，他也从来没有这样耐心讲解过。这可怜的人好像恨不得把自己知道的东西在他离开之前全教给我们，一下子塞进我们的脑子里去。

语法课完了，我们又上习字课。那一天，韩麦尔先生发给我们新的字帖，帖上都是美丽的圆体字①："法兰西""阿尔萨斯""法兰西""阿尔萨斯"。这些字帖挂在我们课桌的铁杆②上，就好像许多面小国旗在教室里飘扬。个个都那么专心，教室里那么安静！只听见钢笔在纸上沙沙地响。有时候一些金甲虫飞进来，但是谁都不注意，连最小的孩子也不分心，他们正在专心画"杠子"③，好像那也算是法国字。屋顶上鸽子咕咕咕咕地低声叫着，我心里想："他们该不会强迫这些鸽子也用德国话唱歌吧！"

我每次抬起头来，总看见韩麦尔先生坐在椅子里，一动也不动，瞪着眼看周围的东西，好像要把这小教室里的东西都装在眼睛里带走似的。只要想想：四十年来，他一

---

① 〔圆体字〕法国字的一种书写体，字母的拐角处呈弧形。　② 〔课桌的铁杆〕这种课桌是斜面的，有点儿像放乐谱的架子，上边有一根横的铁杆，可以挂字帖。　③ 〔画"杠子"〕指初级班学生初学写字。

直在这里，窗外是他的小院子，面前是他的学生；用了多年的课桌和椅子，擦光了，磨损了；院子里的胡桃树长高了；他亲手栽的紫藤，如今也绕着窗口一直爬到屋顶了。可怜的人啊，现在要他跟这一切分手，叫他怎么不伤心呢？何况又听见他的妹妹在楼上走来走去收拾行李！——他们明天就要永远离开这个地方了。

可是他有足够的勇气把今天的功课坚持到底。习字课完了，他又教了一堂历史。接着又教初级班拼他们的 ba，be，bi，bo，bu①。在教室后排座位上，郝叟老头儿已经戴上眼镜，两手捧着他那本初级读本，跟他们一起拼这些字母。他感情激动，连声音都发抖了。听到他古怪的声音，我们又想笑，又难过。啊！这最后一课，我真永远忘不了！

忽然教堂的钟敲了十二下。祈祷的钟声也响了。窗外又传来普鲁士兵的号声——他们已经收操了。韩麦尔先生站起来，脸色惨白，我觉得他从来没有这么高大。

"我的朋友们啊，"他说，"我——我——"

但是他哽②住了，他说不下去了。

他转身朝着黑板，拿起一支粉笔，使出全身的力量，写了几个大字：

"法兰西万岁！"

---

　　①〔ba，be，bi，bo，bu〕这是法语音节，大致可以按照汉语拼音读作 ba，be，bi，bo，bu。　　②〔哽(gěng)〕声气阻塞。

　　然后他呆在那儿，头靠着墙壁，话也不说，只向我们做了一个手势："放学了，——你们走吧。"

研讨 与 练习

一　通读课文，想一想，小弗郎士上课前后心情、态度有什么变化？什么原因使他发生了这么大的变化？

二　韩麦尔先生是这篇课文的主要人物之一。作者是怎样刻画这一感人形象的？请结合下面几段文字加以思考、体会。

1. 我才注意到，我们的老师今天穿上了他那件挺漂亮的绿色礼服，打着皱边的领结，戴着那顶绣边的小黑丝帽。这套衣帽，他只在督学来视察或者发奖的日子才穿戴。

（韩麦尔先生今天为什么要这样穿戴？）

2. 我每次抬起头来，总看见韩麦尔先生坐在椅子里，一动也不动，瞪着眼看周围的东西，好像要把这小教室里的东西都装在眼睛里带走似的。

（猜想一下，韩麦尔先生此刻在想什么？）

3. 忽然教堂的钟敲了十二下。祈祷的钟声也响了。窗外又传来普鲁士兵的号声——他们已经收操了。韩麦尔先生站起来，脸色惨白，我觉得他从来没有这么高大。

　　"我的朋友们啊，"他说，"我——我——"

　　但是他哽住了，他说不下去了。

　　他转身朝着黑板，拿起一支粉笔，使出全身的力量，写了几个大字：

　　"法兰西万岁！"

　　（请你用一两个词语形容韩麦尔先生此时的心情。）

三　试以韩麦尔先生为第一人称，改写课文中从上课到下课部分
　　的内容。

四△课文中韩麦尔先生说："亡了国当了奴隶的人民，只要牢牢
　　记住他们的语言，就好像拿着一把打开监狱大门的钥匙。"
　　这句话有什么深刻含义？你对自己的母语有什么新的认识？

读一读　写一写

郝　叟　哽　懊悔　祈祷

8 艰难的国运与雄健的国民[①]

李大钊

> 这是一篇用散文形式写的"黄河颂"、民族精神颂。有感情地朗读本文，感受作者的高尚情怀和伟大精神。

历史的道路，不全是平坦的，有时走到艰难险阻的境界，这是全靠雄健的精神才能够冲过去的。

一条浩浩荡荡的长江大河，有时流到很宽阔的境界，平原无际，一泻万里。有时流到很逼狭的境界，两岸丛山叠岭，绝壁断崖，江河流于其间，回环曲折，极其险峻。民族生命的进程，其经历亦复如是。

人类在历史上的生活正如旅行一样。旅途上的征人所

[①] 选自《李大钊选集》（人民出版社1959年版）。原载于1923年12月20日《新民国》第一卷第二号。本文写于"五四"运动之后。当时，部分一度觉醒的知识分子重新陷入迷惘之中。作者则站在时代的制高点上，预见中华民族正逢新的转机，号召国民去开创历史新纪元。李大钊（1889—1927），字守常，河北乐亭人，中国最早的马克思主义者，中国共产党的创始人和早期领导人。

经过的地方，有时是坦荡平原，有时是崎岖险路。老于旅途的人，走到平坦的地方，固是高高兴兴地向前走，走到崎岖的境界，愈是奇趣横生，觉得在此奇绝壮绝的境界，愈能感到一种冒险的美趣。

中华民族现在所逢的史路，是一段崎岖险阻的道路。在这一段道路上，实在亦有一种奇绝壮绝的景致，使我们经过这段道路的人，感到一种壮美的趣味。但这种壮美的趣味，没有雄健的精神是不能够感觉到的。

我们的扬子江、黄河，可以代表我们的民族精神，扬子江及黄河遇见沙漠、遇见山峡都是浩浩荡荡地往前流过去，以成其浊流滚滚、一泻万里的魄势。目前的艰难境界，哪能阻抑我们民族生命的前进？我们应该拿出雄健的精神，高唱着进行的曲调，在这悲壮歌声中，走过这崎岖险阻的道路。要知在艰难的国运中建造国家，亦是人生最有趣味的事……

研讨ﾗ练习

一　朗读全文，回答问题。

　　1. 试阐释文中提倡的"雄健的精神"。

　　2. 怎样理解作者所说的"趣味"？

二　本文用一系列比喻来说理，既生动形象又有说服力。试指出文中用了哪些比喻，表现了作者怎样的情怀。

三　本文结尾说:"要知在艰难的国运中建造国家,亦是人生最有趣味的事……"这个看法对不对?为什么?试分组或在全班讨论。

读一读 写一写

逼狭　崎岖　阻抑　回环曲折　亦复如是

9 土地的誓言①

端木蕻良

> 1941 年 9 月 18 日，"九一八"事变已经过去了整整十年，抗日战争正处于十分艰苦的阶段，流亡在关内的东北人依然无家可归。作者怀着难以遏制的思乡之情写下了这篇文章。朗读课文，联系时代背景，体会作者的思想感情，揣摩、欣赏精彩段落和语句。

对于广大的关东原野，我心里怀着炽痛②的热爱。我无时无刻不听见她呼唤我的名字，我无时无刻不听见她召唤我回去。我有时把手放在我的胸膛上，我知道我的心还是跳动的，我的心还在喷涌着热血，因为我常常感到它在泛滥着一种热情。当我躺在土地上的时候，当我仰望天上的星星，手里握着一把泥土的时候，或者当我回想起儿时

---

① 选自《中国新文学大系1937—1949·散文》卷一（上海文艺出版社1990年版）。有改动。端木蕻良（1912—1996），原名曹汉文，辽宁昌图人。现代作家。　②〔炽（chì）痛〕热烈而深切。

的往事的时候，我想起那参天碧绿的白桦林，标直①漂亮的白桦树在原野上呻吟；我看见奔流似的马群，深夜嗥鸣②的蒙古狗，我听见皮鞭滚落在山涧里的脆响；我想起红布似的高粱，金黄的豆粒，黑色的土地，红玉的脸庞，黑玉的眼睛，斑斓的山雕，奔驰的鹿群，带着松香气味的煤块，带着赤色的足金；我想起幽远的车铃，晴天里马儿戴着串铃在溜直的大道上跑着，狐仙姑③深夜的谰语④，原野上怪诞的狂风……这时我听到故乡在召唤我，故乡有一种声音在召唤着我。她低低地呼唤着我的名字，声音是那样的急切，使我不得不回去。我总是被这种声音所缠绕，不管我走到哪里，即使我睡得很沉，或者在睡梦中突然惊醒的时候，我都会突然想到是我应该回去的时候了。我必须回去，我从来没想过离开她。这种声音是不可阻止的，是不能选择的。这种声音已经和我的心取得了永远的沟通。当我记起故乡的时候，我便能看见那大地的深层，在翻滚着一种红熟的浆液，这声音便是从那里来的。在那亘古⑤的地层里，有着一股燃烧的洪流，像我的心喷涌着血液一样。这个我是知道的，我常常把手放在大地上，我会感到她在跳跃，和我的心的跳跃是一样的。它们从来没有停息，它们的热血一直在流，在热情的默契里它们彼此呼

———————

①〔标直〕笔直。　②〔嗥(háo)鸣〕(野兽)大声嚎叫。
③〔狐仙姑〕东北地区民间迷信的神仙。　④〔谰(lán)语〕没有根据的话。　⑤〔亘古〕远古。

唤着，终有一天它们要汇合在一起。

　　土地是我的母亲，我的每一寸皮肤，都有着土粒；我的手掌一接近土地，心就变得平静。我是土地的族系①，我不能离开她。在故乡的土地上，我印下我无数的脚印。在那田垄里埋葬过我的欢笑，在那稻棵上我捉过蚱蜢，在那沉重的镐头②上留着我的手印。我吃过我自己种的白菜。故乡的土壤是香的。在春天，东风吹起的时候，土壤的香气便在田野里飘扬。河流浅浅地流过，柳条像一阵烟雨似的窜出来，空气里都有一种欢喜的声音。原野到处有一种鸣叫，天空清亮透明，劳动的声音从这头响到那头。秋天，银线似的蛛丝在牛角上挂着，粮车拉粮回来，麻雀吃厌了，这里那里到处飞。稻禾的香气是强烈的，碾着新谷的场院辘辘地响着，多么美丽，多么丰饶……没有人能够忘记她。我必定为她而战斗到底。土地，原野，我的家乡，你必须被解放！你必须站立！夜夜我听见马蹄奔驰的声音，草原的儿子在黎明的天边呼唤。这时我起来，找寻天空中北方的大熊③，在它金色的光芒之下，乃是我的家乡。我向那边注视着，注视着，直到天边破晓。我永不能忘记，因为我答应过她，我要回到她的身边，我答应过我一定会回去。为了她，我愿付出一切。我必须看见一个更

---

　　①〔族系〕具有某种共同属性的同类。　　②〔镐（gǎo）头〕刨土用的工具。　　③〔大熊〕指大熊星座，离北极星不远，北斗七星是这个星座中最亮的七颗星。

美丽的故乡出现在我的面前——或者我的坟前。而我将用
我的泪水，洗去她一切的污秽①和耻辱。

"九一八"十周年写。

研讨与练习

一　认真阅读"当我躺在土地上的时候……原野上怪诞的狂风"
　　一段，回答下列问题。

　　1. 作者在这段话中列举了哪些东北特有的景色、物产？

　　2. 作者用了大量的词语形容东北地区的种种事物，你觉得哪
　　　些词语用得好，能够引起你丰富的联想？

　　3. 有人说这段话排列的词语过多，不够简洁，有些句子完全
　　　可以删掉，比如"红玉的脸庞，黑玉的眼睛""狐仙姑深
　　　夜的谰语，原野上怪诞的狂风"。你是否同意这种看法？
　　　为什么？

二　你觉得这篇课文中哪些语句写得最富有感情，最能打动你？
　　找出来，读一读，背一背。

三　学唱歌曲《松花江上》，进一步体会课文中蕴含的思想感
　　情。

---

　　①〔污秽〕肮脏的东西。

松花江上

张寒晖

我的家在东北松花江上，

那里有森林煤矿，

还有那满山遍野的大豆高粱。

我的家在东北松花江上，

那里有我的同胞，

还有那衰老的爹娘。

"九一八"，"九一八"，

从那个悲惨的时候，

脱离了我的家乡，

抛弃那无尽的宝藏，

流浪！流浪！

整日价在关内，流浪！

哪年，哪月，

才能够回到我那可爱的故乡？

哪年，哪月，

才能收回我那无尽的宝藏？

爹娘啊，爹娘啊。

什么时候，

才能欢聚在一堂？

1936 年

读一读 写一写

炽痛　嗥鸣　斑斓　谰语　怪诞　亘古　默契
田垄　蚱蜢　污秽

要读出感情来

有一位表演艺术家说，人的喜怒哀乐，连最微妙的情绪，都能通过声音表达出来，表达得精确细腻，毫无二致。朗读，就要通过声音表达出文章作者的感情。

首先要把握文章的内容，领悟语句的意蕴，深深受到文章的感染，这样作者的感情会在朗读中自然而然地流露出来，就像泉水流出泉眼。至于把握朗读的技巧，例如快慢、轻重、长短、升降、停顿等等也很重要，但毕竟是第二位的。

⑩ 木兰诗①

> 这首诗写的是一位女子代父从军的故事，充满传奇色彩。千百年来，这一巾帼英雄的形象家喻户晓，深受人们喜爱。全诗明朗刚健、质朴生动，具有浓郁的民歌情味。

　　唧唧②复唧唧，木兰当户织③。不闻机杼声④，惟⑤闻女叹息。

　　问女何所思⑥，问女何所忆⑦。女亦无所思，女亦无所忆。昨夜见军帖⑧，可汗大点兵⑨，军书十二卷⑩，卷卷

---

① 选自宋代郭茂倩（qiàn）编的《乐府诗集》（《四部丛刊》本）卷二十五。这是南北朝时北方的一首乐府民歌。　　②〔唧唧〕织布机的声音。③〔当户织〕对着门织布。　　④〔机杼（zhù）声〕织布机发出的声音。杼，织布梭子。　　⑤〔惟〕只。　　⑥〔何所思〕想什么。⑦〔忆〕思念。　　⑧〔军帖〕军中的文告。　　⑨〔可汗（kèhán）大点兵〕皇上大规模地征兵。可汗，我国古代一些少数民族最高统治者的称号。　　⑩〔军书十二卷〕征兵的名册很多卷。军书，征兵的名册。十二，表示多数，不是确指。下文的"十年""十二年"，用法与此相同。

有爷①名。阿爷无大儿，木兰无长兄，愿为市鞍马②，从此替爷征。

东市买骏马，西市买鞍鞯③，南市买辔头④，北市买长鞭。旦⑤辞爷娘去，暮宿黄河边，不闻爷娘唤女声，但闻黄河流水鸣溅溅⑥。旦辞黄河去，暮至黑山⑦头，不闻爷娘唤女声，但闻燕山胡骑⑧鸣啾啾⑨。

万里赴戎机⑩，关山度若飞⑪。朔气传金柝⑫，寒光照铁衣⑬。将军百战死，壮士十年归。

归来见天子⑭，天子坐明堂⑮。策勋十二转⑯，赏赐百千强⑰。可汗问所欲⑱，木兰不用⑲尚书郎⑳；愿驰千里

---

①〔爷〕和下文的"阿爷"同，都指父亲。　②〔愿为市鞍马〕愿意为此去买鞍马。为，为此。市，买。鞍马，泛指马和马具。　③〔鞯(jiān)〕马鞍下的垫子。　④〔辔(pèi)头〕驾驭牲口用的嚼子和缰绳。　⑤〔旦〕早晨。　⑥〔溅溅(jiānjiān)〕水流声。　⑦〔黑山〕和下文的燕(yān)山，都是当时北方的山名。　⑧〔胡骑(jì)〕胡人的战马。胡，古代对北方少数民族的称呼。　⑨〔啾啾(jiūjiū)〕马叫的声音。　⑩〔万里赴戎机〕不远万里，奔赴战场。戎机，战争。　⑪〔关山度若飞〕像飞一样地跨过一道道的关，越过一座座的山。度，过。　⑫〔朔(shuò)气传金柝(tuò)〕北方的寒气传送着打更的声音。朔，北方。金柝，古时军中守夜打更用的器具。　⑬〔铁衣〕铠(kǎi)甲，古代军人穿的护身服装。　⑭〔天子〕指上文的"可汗"。　⑮〔明堂〕古代帝王举行大典的朝堂。　⑯〔策勋十二转〕记很大的功。策勋，记功。转，勋级每升一级叫一转，十二转为最高的勋级。　⑰〔赏赐百千强〕赏赐很多的财物。强，有余。　⑱〔问所欲〕问(木兰)想要什么。　⑲〔不用〕不愿做。　⑳〔尚书郎〕尚书省的官。尚书省是古代朝廷中管理国家政事的机关。

足①，送儿还故乡。

　　爷娘闻女来，出郭②相扶将③；阿姊闻妹来，当户理红妆④；小弟闻姊来，磨刀霍霍⑤向猪羊。开我东阁门，

————————————

①〔愿驰千里足〕希望骑上千里马。　　②〔郭〕外城。　　③〔扶将〕扶持。　　④〔红妆（zhuāng）〕指女子的艳丽装束。　　⑤〔霍霍（huòhuò）〕模拟磨刀的声音。

坐我西阁床，脱我战时袍，著①我旧时裳，当窗理云鬓②，对镜帖花黄③。出门看火伴④，火伴皆惊忙：同行十二年，不知木兰是女郎。

雄兔脚扑朔，雌兔眼迷离⑤；双兔傍地走，安能辨我是雄雌⑥？

研讨与练习

一　复述这首诗的故事情节，背诵全诗。

二　翻译下列句子，注意上下句的意思是互相交错、补充的。

1. 东市买骏马，西市买鞍鞯，南市买辔头，北市买长鞭。

2. 将军百战死，壮士十年归。

3. 开我东阁门，坐我西阁床……

4. 当窗理云鬓，对镜帖花黄。

三　注意下列句子中加点的部分，看看这些句子各有什么句式特点，从诗中再找出一些类似的句子。

---

①〔著(zhuó)〕穿。　　②〔云鬓(bìn)〕像云那样的鬓发，形容好看的头发。　　③〔帖花黄〕帖，通"贴"。花黄，古代妇女的一种面部装饰物。　　④〔火伴〕同伍的士兵。当时规定若干士兵同一个灶吃饭，所以称"火伴"。　　⑤〔雄兔脚扑朔，雌兔眼迷离〕据说，提着兔子的耳朵悬在半空时，雄兔两只前脚时时动弹，雌兔两只眼睛时常眯着，所以容易辨认。扑朔，动弹。迷离，眯着眼。　　⑥〔双兔傍地走，安能辨我是雄雌〕雌雄两兔一起并排着跑，怎能辨别哪个是雄兔，哪个是雌兔呢？傍地走，并排跑。

1.问女何所思，问女何所忆。

2.军书十二卷，卷卷有爷名。

3.爷娘闻女来，出郭相扶将；阿姊闻妹来，当户理红妆；小弟闻姊来，磨刀霍霍向猪羊。

四　讨论：一千多年来，木兰的形象一直深受人们喜爱，原因是什么?

写作

选择恰当的抒情方式

写作导引

抒情，即表达情思，抒发情感。抒情并不神秘，下面这些话我们经常说，其实就是抒情。

"这片月季花真漂亮啊！"

"我有好几年没见到爷爷了，真想他呀！"

在写作中，恰当地抒发自己的真情实感，能增强文章的感染力，并深化主题。比如："我们祖国的英雄儿女，/将要学习你的榜样，/像你一样的伟大坚强！"（《黄河颂》）这几句诗就鲜明、直接地抒发了作者对黄河的景仰、对祖国英雄儿女的赞颂之情。

　　除了直接抒情以外，作者的情感也往往渗透在叙述和描写中。例如《土地的誓言》：

　　当我躺在土地上的时候，当我仰望天上的星星，手里握着一把泥土的时候，或者当我回想起儿时的往事的时候，我想起那参天碧绿的白桦林，标直漂亮的白桦树在原野上呻吟；我看见奔流似的马群，深夜嗥鸣的蒙古狗，我听见皮鞭滚落在山涧里的脆响；我想起红布似的高粱，金黄的豆粒，黑色的土地，红玉的脸庞，黑玉的眼睛，斑斓的山雕，奔驰的鹿群，带着松香气味的煤块，带着赤色的足金；我想起幽远的车铃，晴天里马儿戴着串铃在溜直的大道上跑着，狐仙姑深夜的谰语，原野上怪诞的狂风……

　　这一段文字里，作者写了许多富有关东气息的事物，斑斓多姿，我们读起来，很容易就从中感受到作者对于故乡的炽热爱恋。这是间接抒发情感的好例子。

写作实践

　　一　片段作文。选取适当的抒情方式，写一段话，描写某种情感，如幸福、喜悦、痛苦、忧伤、渴望等。200字左右。

　　【提示】

　　1. 选择想要表现的情感，回忆自己产生这种情感的情境。

　　2. 可以直接抒情，也可以采用直接抒情和间接抒情相结合的方式。

　　二　我们爱亲人，爱朋友，爱动物，爱花草，也爱家乡，爱祖国……试以"爱"为话题，自拟题目，写一篇作文。不少于500字。

【提示】

1. 先确定写作对象，然后仔细想一想你对他（她、它）怀有的感情。

2. 写作时，可以直接表达对某人某物的感情，也可以在写景、叙事中渗透感情。

3. 写完初稿后，读给同学听听，看看你的作文是否能打动人。如果不够动人，和同学讨论，看看问题出在什么地方，然后做出相应的修改。

三　每个人可能都有烦恼，每个烦恼也许都有一段小故事。试以《我的烦恼》为题，写一篇作文。注意融入并抒发自己的真情实感。不少于500字。

【提示】

1. 每个人可能都会有烦恼，比如：妈妈总是拿你和别人比，说你这不行那不行；在班级里表现得还不错，但总得不到老师表扬；很喜欢跳舞，家人却不支持；唱歌总是跑调，每次上音乐课都很尴尬……想一想，你有什么烦恼？哪些可以作为写作的素材？

2. 写"烦恼"的时候，要把烦恼的事、为什么烦恼写清楚，还要写出烦恼时的具体感受，让人读了以后能体会你的处境和心情。

3. 作文写完以后，可以和同学们互相交流，看看大家的烦恼是什么，并相互开导、帮助，争取消除这些烦恼。

综合性学习

黄河，母亲河

"一把黄土塑成千万个你我，静脉是长城，动脉是黄河。"可以说，只要是中国人，就没有不知道黄河的。这条奔腾不息的河流，用它甘甜的乳汁哺育了一代又一代中华儿女，孕育出灿烂的华夏文明。今天，就让我们作一次黄河文化的巡礼，去捡拾那些积淀着文明印记的语言文化珍宝，唤醒我们内心深处的黄河情。

一、啊！黄河！你是中华民族的摇篮

从旧石器时代起，中华民族的先民就在黄河的怀抱里繁衍生息。此后，在漫长的历史演进过程中，他们在黄河形成的冲积平原上，不断提高适应自然的能力，发展农业文明，使黄河流域逐渐成为古代中国经济、文化和政治的中心。这些久远的民族历史，都在我们的神话、传说、歌谣等传统文化当中，留下了生动的记录。

从以下活动中任选一项。

1.复习《黄河颂》一课，查找有关资料，研讨下列问题。

①诗中赞颂黄河"五千年的古国文化，/从你这儿发源"，

这样说有什么历史依据？你能举出一些在黄河流域发现的早期人类文化遗址、历代王朝建都位置等史实，说明黄河与中华民族历史文化的深远关系吗？

②为什么说黄河"浊流宛转，/结成九曲连环"？你能否具体地说出黄河是从哪儿发源，流到哪里的？黄河有多长，流经哪几个省区？

黄河源

③诗中说黄河"向南北两岸/伸出千万条铁的臂膀"，"铁的臂膀"指什么？这个比喻有什么深刻含义？

2.搜集与黄河有关的民间故事、神话传说、历史人物故事，整理出来，与同学交流。

3.在我们常用的俗语、谚语、成语当中，有许多和黄河有关，比如"跳进黄河洗不清""不到黄河心不死"等。请你收集若干条，并且在每一条语言材料后面写出它的意义和相关故事，从中选用两三个造句。

二、黄河之水天上来，奔流到海不复回

收集关于黄河的古今诗词、歌曲、民谣，举办一次以"歌唱黄河"为主题的文艺演出。

三、不废江河万古流

干枯的河床

黄河不仅带给我们欢乐和幸福，也带给我们灾难和痛苦。据历史记载，仅黄河下游就曾发生过一千五百多次大的决口，每一次都造成洪水横流、千里泽国的人间惨象。而近几十年来，由于水土流失，泥沙淤积，生态环境遭受严重破坏，黄河又出现了严重的缺水断流和水污染等新的问题。

从下面两项中任选一项展开活动。

1. 请从图书馆和网络中进一步搜集资料，如有条件，可以做实地调查，召开一次以"黄河之忧"为主题的调查报告会。

2. 请针对黄河断流和水污染这一严重的生态危机，设计一则公益广告，呼吁人们保护母亲河。广告要件应包括图画或照片、广告词、设计思路说明。可以手绘，也可以利用电脑设计，力求有创意。

第三单元

在人类历史的长河中，曾经出现过许多杰出人物。他们中有叱咤风云的政治家，有决胜千里的军事家，有博学睿智的科学家，还有给人类奉献宝贵的精神食粮的文学艺术家……他们对社会的发展作出了突出贡献，他们的事迹生动感人，广为流传。探寻他们的足迹，学习他们的精神，有利于我们的成长。本单元所选的就是这类题材的课文。

学习本单元，要理清作者的思路，深入理解课文的思想内容。

⑪ 邓稼先①

杨振宁

> 邓稼先，"'两弹'元勋"，"两弹一星"功勋奖章获得者。这是一个"大写的人"！我们做人就是要做这样的人！让我们随着作者饱含深情的笔触，去走近这位不平凡的科学家吧！

从"任人宰割"到"站起来了"

一百年以前，甲午战争和八国联军时代，恐怕是中华民族五千年历史上最黑暗最悲惨的时代，只举 1898 年为例：

德国强占山东胶州湾，"租借"99 年。

---

① 选自1993年8月21日《人民日报》。有改动。邓稼先（1924—1986），我国研制和发展核武器的重要技术领导人，为我国成功研制原子弹、氢弹和新型核武器作出了重大贡献。1999年，中共中央、国务院、中央军委给他追授了"两弹一星"功勋奖章。杨振宁，美籍华裔物理学家，获1957年诺贝尔物理学奖。

俄国强占辽宁旅顺大连，"租借"25 年。

法国强占广东广州湾，"租借"99 年。

英国强占山东威海卫与香港新界，前者"租借"25 年，后者"租借"99 年。

那是中华民族任人宰割的时代，是有亡国灭种的危险的时代。

今天，一个世纪以后，中国人民站起来了。

这是千千万万人努力的结果，是许许多多可歌可泣的英雄人物创造出来的伟大胜利。在 20 世纪人类历史上，这可能是最重要的、影响最深远的巨大转变。

对这一转变作出了巨大贡献的，有一位长期以来鲜为人知的科学家：邓稼先。

"两弹"元勋

邓稼先于 1924 年出生在安徽省怀宁县。在北平上完小学和中学以后，于 1945 年自昆明西南联大①毕业。1948 年到 1950 年赴美国普渡大学读理论物理，获得博士学位后立即乘船回国，1950 年 10 月到中国科学院工作。1958 年 8 月奉命带领几十个大学毕业生开始研究原子弹制造的理论。

---

① 〔西南联大〕全称"西南联合大学"。抗日战争时期由北京大学、清华大学和南开大学组建的一所学校，校址在云南昆明。

　　这以后的 28 年间，邓稼先始终站在中国原子武器设计制造和研究的第一线，领导许多学者和技术人员，成功地设计了中国的原子弹和氢弹，把中华民族国防自卫武器引导到了世界先进水平。

　　1964 年 10 月 16 日中国爆炸了第一颗原子弹。

　　1967 年 6 月 17 日中国爆炸了第一颗氢弹。

　　这些日子是中华民族五千年历史上的重要日子，是中华民族完全摆脱任人宰割危机的新生日子！

　　1967 年以后邓稼先继续他的工作，至死不懈，对国防武器作出了许多新的巨大贡献。

　　1985 年 8 月邓稼先做了切除直肠癌的手术。次年 3 月又做了第二次手术。在这期间他和于敏①联合署名写了一份关于中华人民共和国核武器发展的建议书。1986 年 5 月邓稼先做了第三次手术，7 月 29 日因全身大出血而逝世。

　　"鞠躬尽瘁，死而后已"正好准确地描述了他的一生。

　　邓稼先是中华民族核武器事业的奠基人和开拓者。张爱萍将军称他为"'两弹'元勋"，他是当之无愧的。

---

　　①〔于敏〕中国核物理学家，中国科学院院士。长期领导并参加核武器的研究、设计。获"两弹一星"功勋奖章。

邓稼先与奥本海默①

抗战开始以前的一年，1936 年到 1937 年，稼先和我在北平崇德中学同学一年；后来抗战时期在西南联大我们又是同学；以后他在美国留学的两年期间我们曾住同屋。50 年的友谊，亲如兄弟。

1949 年到 1966 年我在普林斯顿高等学术研究所工作，前后 17 年的时间里所长都是物理学家奥本海默。当时，他是美国家喻户晓的人物，因为他曾成功地领导战时美国的原子弹制造工作。高等学术研究所是一个很小的研究所，物理教授最多的时候只有 5 个人，奥本海默是其中之一，所以我和他很熟识。

奥本海默和邓稼先分别是美国和中国原子弹设计的领导人，各是两国的功臣，可是他们的性格和为人却截然不同——甚至可以说他们走向了两个相反的极端。

奥本海默是一个拔尖的人物，锋芒毕露。他二十几岁的时候在德国哥廷根镇做波恩②的研究生。波恩在他晚年所写的自传中说研究生奥本海默常常在别人做学术报告时（包括波恩做学术报告时）打断报告，走上讲台拿起粉笔说："这

①〔奥本海默（1904—1967）〕美国物理学家，被称为美国"原子弹之父"。 ②〔波恩（1882—1970）〕德国物理学家，发展了量子力学和矩阵力学，1954年获诺贝尔物理学奖。

可以用底下的办法做得更好……”我认识奥本海默时他已四十多岁了，已经是妇孺皆知的人物了，打断别人的报告，使演讲者难堪的事仍然时有发生。不过比起以前要少一些。佩服他、仰慕他的人很多，不喜欢他的人也不少。

邓稼先则是一个最不要引人注目的人物。和他谈话几分钟，就看出他是忠厚平实的人。他真诚坦白，从不骄人。他没有小心眼儿，一生喜欢"纯"字所代表的品格。在我所认识的知识分子当中，包括中国人和外国人，他是最有中国农民的朴实气质的人。

我想邓稼先的气质和品格是他所以能成功地领导各阶层许许多多工作者，为中华民族作了历史性贡献的原因：人们知道他没有私心，人们绝对相信他。

"文革"初期，他所在的研究院（九院）和当时全国其他单位一样，成立了两派群众组织，对吵对打。而邓稼先竟有能力说服两派继续工作，于1967年6月成功地制成了氢弹。

1971年，在他和他的同事们被"四人帮"①批判围攻的时候，如果别人去和工宣队②、军宣队③讲理，恐怕要出惨案。而邓稼先去了，竟能说服工宣队、军宣队的队员。这是真正的奇迹。

---

① 〔"四人帮"〕即江青、张春桥、姚文元、王洪文反革命集团。
② 〔工宣队〕"文革"中"工人阶级毛泽东思想宣传队"的简称。
③ 〔军宣队〕"文革"中"解放军毛泽东思想宣传队"的简称。

邓稼先是中国几千年传统文化所孕育出来的有最高奉献精神的儿子。

邓稼先是中国共产党的理想党员。

我以为邓稼先如果是美国人，不可能成功地领导美国原子弹工程；奥本海默如果是中国人，也不可能成功地领导中国原子弹工程。当初选聘他们的人，钱三强①和葛罗夫斯②，可谓真正有知人之明，而且对中国社会、美国社会各有深入的认识。

民族感情？友情？

1971 年，我第一次访问中华人民共和国。在北京，见到阔别了 22 年的稼先。在那以前，也就是 1964 年中国原子弹试爆以后，美国报章上就已经再三提到稼先是这项事业的重要领导人。与此同时还有一些谣言说，1948 年 3 月去了中国的寒春③曾参与中国原子弹工程。（寒春曾于 40 年代初在洛斯阿拉姆斯武器试验室做费米④的助手，参加了美国原子弹的制造，那时她是年轻的研究生。）

①〔钱三强(1913—1992)〕当代中国核物理学家。　②〔葛罗夫斯(1896—1970)〕美国陆军中将，第二次世界大战期间，领导美国原子弹的研制工作。　③〔寒春(1921—2010)〕本名琼·辛顿，美国女物理学家。1948年来华定居，长年投身于中国农业机械化建设，在北京逝世。④〔费米(1901—1954)〕美国物理学家，出生于意大利。1942年领导建成世界上第一个原子核反应堆。

　　1971 年 8 月，我在北京看到稼先时，避免问他的工作地点，他自己只说"在外地工作"。但我曾问他，寒春是不是参加了中国原子弹工作，像美国谣言所说的那样。他说他觉得没有，但是确切的情况他会再去证实一下，然后告诉我。

　　1971 年 8 月 16 日，在我离开上海经巴黎回美国的前夕，上海市领导人在上海大厦请我吃饭。席中有人送了一封信给我，是稼先写的，说他已证实了，中国原子武器工程中，除了最早于 1959 年底以前曾得到苏联的极少"援助"以外，没有任何外国人参加。

　　这封短短的信给了我极大的感情震荡。一时热泪满眶，不得不起身去洗手间整容。事后我追想为什么会有那样大的感情震荡，是为了民族而自豪？还是为了稼先而感到骄傲？——我始终想不清楚。

"我不能走"

　　青海、新疆，神秘的古罗布泊，马革裹尸①的战场，不知道稼先有没有想起过我们在昆明时一起背诵的《吊古战场文》②：

---

　　①〔马革裹尸〕用马皮把尸体包裹起来，指军人战死于战场。
　　②〔《吊古战场文》〕唐代李华作，文中描述了古战场荒凉凄惨的景象，揭示了战争的残酷以及给人民造成的苦难。

　　浩浩乎！平沙①无垠，敻②不见人。河水萦带③，群山纠纷④。黯兮惨悴，风悲日曛⑤。蓬⑥断草枯，凛若霜晨。鸟飞不下，兽铤⑦亡群⑧。亭长⑨告余曰："此古战场也！常覆三军⑩。往往鬼哭，天阴则闻！"

也不知道稼先在蓬断草枯的沙漠中埋葬同事、埋葬下属的时候是什么心情？

"粗估"参数的时候，要有物理直觉；昼夜不断地筹划计算时，要有数学见地；决定方案时，要有勇进的胆识和稳健的判断。可是理论是否足够准确永远是一个未决问题。不知稼先在关键性的方案上签字的时候，手有没有颤抖？

戈壁滩上常常风沙呼啸，气温往往在零下三十多摄氏度。核武器试验时大大小小突发的问题必层出不穷。稼先虽有"福将"之称，意外总是不能完全避免的。1982 年，他做了核武器研究院院长以后，一次井下突然有一个信号测不到了，大家十分焦虑，人们劝他回去，他只说了一句话："我不能走。"

---

①〔平沙〕平旷的沙漠。这里指旷野。　②〔敻（xiòng）〕辽远。
③〔萦带〕弯曲得像带子一般。　④〔纠纷〕交错在一起。
⑤〔曛（xūn）〕昏黄。　⑥〔蓬〕即飞蓬。多年生草本植物，叶子像柳叶，边缘有锯齿，秋天开花。　⑦〔铤（tǐng）〕疾走。　⑧〔亡群〕失群。　⑨〔亭长〕秦汉时十里设一亭，亭长掌管捕盗。唐代为管理治安的小吏。　⑩〔三军〕春秋时代大国的军队常分上、中、下或左、中、右三军。这里指全军。

假如有一天哪位导演要摄制《邓稼先传》，我要向他建议采用"五四"时代的一首歌作为背景音乐，那是我儿时从父亲口中学到的：

中国男儿　中国男儿

要将只手撑天空

长江大河　亚洲之东　峨峨昆仑

古今多少奇丈夫

碎首黄尘　燕然勒功①　至今热血犹殷红

我父亲诞生于1896年，那是中华民族任人宰割的时代，他一生都喜欢这首歌曲。

————————

① 〔燕然勒功〕燕然，山名，即今蒙古国境内的杭爱山。勒功，刻石记功。东汉大将窦宪追击北匈奴，出塞三千余里，至燕然山刻石记功而还。

永恒的骄傲

稼先逝世以后，在我写给他夫人许鹿希的电报与书信中有下面几段话：

——稼先为人忠诚纯正，是我最敬爱的挚友。他的无私的精神与巨大的贡献是你的也是我的永恒的骄傲。

——稼先去世的消息使我想起了他和我半个世纪的友情，我知道我将永远珍惜这些记忆。希望你在此沉痛的日子里多从长远的历史角度去看稼先和你的一生，只有真正永恒的才是有价值的。

——邓稼先的一生是有方向、有意识地前进的。没有彷徨，没有矛盾。

——是的，如果稼先再次选择他的人生的话，他仍会走他已走过的道路。这是他的性格与品质。能这样估价自己一生的人不多，我们应为稼先庆幸！

研讨与练习

一　有感情地朗读课文，把握文意，完成下列各题。

　　1. 在写邓稼先以前，为什么先概述我国近一百多年来的历史？

　　2. 为什么把邓稼先与奥本海默对比着写？

3. "邓稼先是中国几千年传统文化所孕育出来的有最高奉献精神的儿子。""邓稼先是中国共产党的理想党员。"试阐释这两句话。

4. "如果稼先再次选择他的人生的话，他仍会走他已走过的道路。这是他的性格与品质。"试说说你对这两句话的理解。

二　这篇文章的语言很有特色，句式多变。有时句式十分整齐，有时长句与短句交错使用，句式的运用完全服从于表现感情的需要。你能举出几个例子来加以说明吗？

三　从图书馆查找、从网络上检索关于邓稼先等我国"两弹一星"科学家的资料，分别为他们写小传，然后全班出一期题为"星光闪耀"的墙报。

读一读　写一写

宰割　筹划　彷徨　仰慕　可歌可泣　鲜为人知
当之无愧　锋芒毕露　家喻户晓　妇孺皆知
马革裹尸　鞠躬尽瘁　死而后已

⑫ 闻一多先生的说和做①

臧克家

这篇文章记叙了闻一多先生的主要事迹，表现了他的崇高品格和精神。熟读课文，想一想，我们应该学习闻一多先生的什么精神？作者是从怎样的角度选取材料和确定记叙重点的？

"人家说了再做，我是做了再说。"

"人家说了也不一定做，我是做了也不一定说。"

作为学者和诗人的闻一多先生，在 30 年代国立青岛大学的两年时间，我对他是有着深刻印象的。那时候，他已经诗兴不作而研究志趣正浓。他正向古代典籍钻探，有如向地壳寻求宝藏。仰之弥高②，越高，攀得越起劲；钻

---

① 选自1980年2月12日《人民日报》，原题为"说和作——记闻一多先生言行片段"。有改动。闻一多（1899—1946），湖北浠（xī）水人，诗人、学者、民主战士。著作收在《闻一多全集》中。臧（zāng）克家（1905—2004），山东诸城人，诗人。　② 〔弥（mí）高〕更高。弥，更加。

之弥坚，越坚，钻得越锲而不舍①。他想吃尽、消化尽我们中华民族几千年来的文化史，炯炯目光，一直远射到有史以前。他要给我们衰微的民族开一剂救济的文化药方。1930 年到 1932 年，"望闻问切②"也还只是在"望"的初级阶段。他从唐诗下手，目不窥园，足不下楼，兀兀穷年③，沥④尽心血。杜甫晚年，疏懒得"一月不梳头"。闻先生也总是头发零乱，他是无暇及此的。饭，几乎忘记了吃，他贪的是精神食粮；夜间睡得很少，为了研究，他惜寸阴、分阴。深宵灯火是他的伴侣，因它大开光明之路，"漂白了的四壁⑤"。

不动不响，无声无闻。一个又一个大的四方竹纸本子，写满了密密麻麻的小楷，如群蚁排衙⑥。几年辛苦，凝结而成《唐诗杂论》的硕果。

他并没有先"说"，但他"做"了。做出了卓越的成绩。

"做"了，他自己也没有"说"。他又由唐诗转到楚辞。十年艰辛，一部"校补⑦"赫然而出。别人在赞美，

---

① 〔锲（qiè）而不舍〕镂刻不停，比喻有恒心，有毅力。锲，刻。
② 〔望闻问切〕中医诊病术语，即望诊，闻诊，问诊，切诊。望诊是第一步。　③ 〔兀兀（wùwù）穷年〕辛辛苦苦地一年到头这样做。兀兀，劳苦的样子。穷年，终年，一年到头。　④ 〔沥（lì）〕滴。　⑤ 〔漂白了的四壁〕语出闻一多《静夜》诗句："这灯光漂白了的四壁。"　⑥ 〔群蚁排衙（yá）〕这里指整齐地排列着。衙，衙门。排衙，原指旧时官署陈设仪仗，全署属吏依次参拜长官的情状。　⑦ 〔校补〕指闻一多著的《楚辞校补》。

在惊叹，而闻一多先生个人呢，也没有"说"。他又向
"古典新义①"迈进了。他潜心贯注，心会神凝，成了"何
妨一下楼②"的主人。

做了再说，做了不说，这仅是闻一多先生的一个方
面，——作为学者的方面。

闻一多先生还有另外一个方面，——作为革命家的
方面。

这个方面，情况就迥乎不同③，而且一反既往了。

作为争取民主的战士，青年运动的领导人，闻一多先
生"说"了。起先，小声说，只有昆明的青年听得到；后
来，声音越来越大，他向全国人民呼喊，叫人民起来，反
对独裁④，争取民主！

他在给我的信上说："此身别无长处，既然有一颗心，
有一张嘴，讲话定要讲个痛快！"

他"说"了，跟着的是"做"。这不再是"做了再说"
或"做了也不一定说"了。现在，他"说"了就"做"。
言论与行动完全一致，这是人格的写照，而且是以生命作
为代价的。

1944 年 10 月 12 日，他给了我一封信，最后一行说：
"另函寄上油印物二张，代表我最近的工作之一，请

①〔古典新义〕指闻一多对《周易》《诗经》《楚辞》等的研究。后汇集成
为《古典新义》一书。　②〔何妨一下楼〕闻一多晚年很少下楼，人们
称他"何妨一下楼主人"。　③〔迥(jiǒng)乎不同〕很不一样。迥，差
得远。　④〔独裁〕指当时蒋介石的专制统治。

传观。"

这是为争取民主，反对独裁，他起稿的一张政治传单！

在李公朴①同志被害之后，警报迭起②，形势紧张，明知凶多吉少，而闻先生大无畏地在群众大会上，大骂特务，慷慨淋漓，并指着这群败类说：你们站出来！你们站出来！

他"说"了。说得真痛快，动人心，鼓壮志，气冲斗牛③，声震天地！

他"说"了："我们要准备像李先生一样，前脚跨出大门，后脚就不准备再跨进大门。"

他"做"了，在情况紧急的生死关头，他走到游行示威队伍的前头，昂首挺胸，长须飘飘。他终于以宝贵的生命，实证了他的"言"和"行"。

闻一多先生，是卓越的学者，热情澎湃的优秀诗人，大勇的革命烈士。

他，是口的巨人。他，是行的高标。

----

① 〔李公朴(1902—1946)〕爱国民主人士，1946年7月11日因参加爱国民主运动，在昆明被国民党特务暗杀。　② 〔警报迭起〕这里指国民党当局蓄意杀害闻一多的信号多次出现。迭，屡次。　③ 〔气冲斗(dǒu)牛〕形容气势之盛可以直冲云霄。斗、牛，星宿名，泛指天空。

研讨与练习

一　细读全文，画出精辟的语句，然后复述课文大意，并说出闻一多前期和后期思想品格上的主要特点，前后期有什么变化，又有什么共同的地方。

二　说说下列句子的含义，注意其中加点部分的意思。

1. 那时候，他已经诗兴不作而研究志趣正浓。

2. 他要给我们衰微的民族开一剂救济的文化药方。

3. 1930 年到 1932 年，"望闻问切"也还只是在"望"的初级阶段。

4. 深宵灯火是他的伴侣，因它大开光明之路，"漂白了的四壁"。

5. 他潜心贯注，心会神凝，成了"何妨一下楼"的主人。

三　从下面两题中任选一题展开讨论。

1. 课文的两个部分之间，是用哪些话过渡的？把这些话找出来，说说是怎样起过渡作用的。

2. 这篇文章在叙述中穿插了哪些形象的描写？说说这些描写的作用。

四△闻一多先生的事迹很多，试为本文补充一两个事例。

读一读　写一写

衰微　赫然　迭起　高标　锲而不舍　兀兀穷年
沥尽心血　潜心贯注　心会神凝　迥乎不同
一反既往　慷慨淋漓　气冲斗牛

⑬ 音乐巨人贝多芬①

何　为

当雄浑激昂的《命运交响曲》叩击着你的心扉时，你也许想起了贝多芬——这位遭到命运沉重打击的音乐巨人。但是，除了他的音乐，你还知道他更多的故事吗？耳聋后的贝多芬，在生活中是个怎样的形象？读读这篇文章，让我们一起走进贝多芬的心灵。

客人敲开了贝多芬的家门。

"他不肯接见你的，"一个女佣站在门槛上为难地说，"他谁都不肯接见。他厌恶别人打扰他，他要的是孤独和安静……"

但是这个好心肠的女人经不住客人的苦苦要求，捏弄着她的围裙答应去试试看，不过，她说："答应我，你们

---

① 选自《中国现代散文选》第七卷（人民文学出版社1983年版）。贝多芬（1770—1827），德国作曲家。1798年起听觉渐衰，1820年后两耳失聪，但仍坚持创作。代表作有《田园交响曲》《命运交响曲》。

一定要按照我的意思决定去留。"

她带领来客到贝多芬工作的屋子，在那里，最惹人注目的是两架对放的大钢琴。女佣在一旁指点着说：

"他在这架钢琴上工作，他在那架钢琴上经常弹奏。别以为这房间杂乱无章①，我曾经想收拾一下，后来发觉那是徒劳的。他不喜欢我整理房间，就算整理好了，两分钟内就会弄得零乱不堪。过去那一边是他的厨房，他自己做东西吃，吃得简单随便，也不让我帮他一点忙。可怜他几乎完全聋了，又常常不舒服，什么声音他都听不清楚，看着真教人难受。还有他那个流氓一样的侄子，一天到晚来麻烦他。——瞧，他下来了，我希望他不会责怪我。"

沉重的脚步声踏在楼梯上清晰可闻。到第二层的时候，他稍稍停留。随后他走进门来了。一个身高五英尺左右的人，两肩极宽阔，仿佛要挑起整个生命的重荷及命运的担子，而他给人明显的印象就是他能担负得起。

这一天他身上的衣服是淡蓝色的，胸前的纽扣是黄色的，里面一件纯白的背心，所有这些看上去都已经显得十分陈旧，甚至是不整洁的。上衣的背后似乎还拖着什么东西。据女佣解释，那拖在衣服后面的是一副助听器，可是早已失效了。

他无视屋内的人，一直走向那只巨熊一样蹲伏着的大钢琴旁边，习惯地坐下来，拿起一支笔。人们可以看见他

---

①〔杂乱无章〕又多又乱，没有条理。

那只有力的大手。

　　客人带着好像敬畏又好像怜惜的神情，默不作声地望着他。他的脸上呈现出悲剧，一张含蓄①了许多愁苦和力量的脸；火一样蓬勃的头发，盖在他的头上，好像有生以来从未梳过；深邃的眼睛略带灰色，有一种凝重不可逼视的光；长而笨重的鼻子下一张紧闭的嘴，衬着略带方形的下颏，整个描绘出坚忍无比的生的意志。

　　女佣略一踌躇②后，走上前去引起他的注意，可是他的表情是不耐烦的。

　　"什么？又怎么了？"他大声说。接下去倒像在自言自语："倒霉，今天！哦，今天我碰到的是那些孩子，嘲笑我，捉弄我，模仿我的样子。"

　　女佣向客人指了指。

　　贝多芬说："谁？那是谁？"

　　他又粗着嗓子喊道："你们说的声音大些，我是个聋子。"

　　客人小心翼翼递过去一张字条。贝多芬戴上眼镜，专注地凝视了一会儿："好，你们竟敢到兽穴里来抓老狮子的毛。"他说，虽然严肃，但脸上浮现出善良的微笑，"你们很勇敢……可是你们不容易了解我，也很难使我听懂你们的话。过来坐在我旁边，你们知道我听不见的。"

　　他敲敲自己的耳朵，随手拿过来一张纸一支铅笔给客人。

---

　　①〔含蓄〕包含。　　②〔踌躇（chóuchú）〕犹豫。

　　客人在纸上写着："我们要知道您的生平，把您的消息带给万千大众，使他们了解您真实的好灵魂。"

　　看了这几句话，一滴泪在大音乐家眼里闪光。他喃喃地如同独语："我的好灵魂！人家都当我是个厌世者，你们怎么会想到这个！在这里我孤零零地坐着，写我的音符——我将永远听不见音乐，但是在我心里发出的回响，比任何乐器上演奏的都美。我有时不免叹息，我真软弱……一个音乐家最大的悲剧是丧失了听觉。"

　　贝多芬神往地说：

　　"一个人到田野去，有时候我想，一株树也比一个人好……"

　　他接着说：

　　"你可能想到我——一座已倒落了的火山，头颅在熔岩内燃烧，拼命巴望①挣扎出来。"

　　贝多芬激动而又沉郁的情绪深深感染了来访者，客人不停地记下来。

　　命运加在贝多芬身上的不幸是将他的灵魂锁闭在磐石②一样密不通风的"耳聋"之中。这犹如一座不见天日的囚室，牢牢地困住了他。不过，"聋"虽然带来了无可比拟的不幸和烦忧，却也带来了与人世的喧嚣相隔绝的安静。他诚然孤独，可是有"永恒"为伴。

　　贝多芬留客人在他屋子里吃简便的晚餐。在晚餐桌上

---

　　①〔巴望〕指望。　　②〔磐(pán)石〕厚而大的石头。

说起他往昔的许多故事，包括他在童年时跟海顿①学习时的生活，包括他为了糊口指挥乡村音乐队的生活……请看一看罗曼·罗兰②的《约翰·克利斯朵夫》，在那本大书里流着一条大河，那条大河就是从贝多芬身上流出来，并且加以引申开的。

贝多芬向他的客人叙述最后一次指挥音乐会的情形。那次节目是《费黛里奥》③。当他站在台上按着节拍指挥时，听众的脸上都有一种奇怪的表情，可是谁也不忍告诉他。演奏告终，全场掌声雷动。贝多芬什么也听不见，很久很久背身站在指挥台上，直到一个女孩拉着他的手向观众答谢时，他才缓缓地转过身来。原来他完全聋了！他永远不能担任指挥了！

贝多芬对客人大声地说："听我心里的音乐！你不知道我心里的感觉！一个乐队只能奏出我在一分钟里希望写出的音乐！"

---

① 〔海顿(1732—1809)〕奥地利作曲家。主要作品有《告别》《惊愕》《时钟》等一百余部交响乐以及大量弦乐四重奏、钢琴奏鸣曲。　②〔罗曼·罗兰(1866—1944)〕法国作家、音乐学家、社会活动家。《约翰·克利斯朵夫》是他创作的一部长篇小说，主人公约翰·克利斯朵夫的许多事迹都是以贝多芬为原型的。　③〔《费黛里奥》〕贝多芬根据包亚利的同名剧本改编的一部歌剧。

研讨与练习

一　阅读全文，完成下列各题。

　　1.理清"客人"访问贝多芬的全过程，说说其间写了哪几件事。

　　2.用几句话概括一下课文中的贝多芬的形象。

　　3.文中贝多芬的哪些话深深触动了你?你对这些话是怎样理解的?

二　注意描写贝多芬穿着和外貌特征的语句，模仿这种写法，用几句话描写你最熟悉的一个同学的外貌。与同学进行交流，看谁写得最传神。

三　课外听听贝多芬的《命运交响曲》，结合课文思想内容，说说你从音乐中听出了什么。

读一读　写一写

重荷　愁苦　深邃　踌躇　巴望　锁闭　磐石

惹人注目　杂乱无章　不见天日

14 福楼拜家的星期天①

莫泊桑

> 这个单元前三篇课文写的都是单个人物，
> 这篇文章写的却是人物群像。阅读本文，要认
> 真揣摩写人怎样抓住人物特点，怎样做到声情
> 并茂，从表情写到内心，怎样在记叙中插入抒
> 情、议论。

那时福楼拜住在六层楼的一个单身宿舍里，屋子很简
陋，墙上空空的，家具也很少。他很讨厌用一些没有实用
价值的古董来装饰屋子。他的办公桌上总是散乱地铺着写
满密密麻麻的字的稿纸。

每到星期天，从中午一点到下午七点，他家一直都有
客人来。门铃一响，他就立刻把一块很薄的红纱毯盖到办
公桌上，把桌上的稿纸、书、笔、字典等所有工作用的东

---

① 选自《济南文艺》1981年1月号。亚丁译。有改动。福楼拜（1821—
1880），法国作家，代表作有《包法利夫人》等。莫泊桑（1850—1893），法
国作家，被称为短篇小说巨匠，代表作有《项链》《羊脂球》等。

西都遮了起来。他总是亲自去开门，因为佣人几乎每个星期天都要回家的。

第一个来到的往往是伊万·屠格涅夫①。他像亲兄弟一样地拥抱着这位比他略高的俄国小说家。屠格涅夫对他有一种很强烈并且很深厚的爱。他们相同的思想、哲学观点和才能，共同的趣味、生活和梦想，相同的文学主张和狂热的理想，共同的鉴赏能力与博学多识使他们两人常常是一拍即合，一见面，两人都不约而同地感到一种与其说是相互理解的愉快，倒不如说是心灵内在的欢乐。

屠格涅夫仰坐在一个沙发上，用一种轻轻的并有点犹豫的声调慢慢地讲着，但是不管什么事情一经他的嘴讲出，就都带上非凡的魅力和极大的趣味。福楼拜转动着蓝色的大眼睛盯着朋友这张白皙的脸，十分钦佩地听着。当他回答时，他的嗓音特别洪亮，仿佛在他那古高卢②斗士式的大胡须下面吹响一把军号。他们的谈话很少涉及日常琐事，总是围绕着文学史方面的事件。屠格涅夫也常常带来一些外文书籍，并非常流利地翻译一些歌德③和普希金的诗句。

过了一会儿，都德也来了。他一来就谈起巴黎的事情，讲述着这个贪图享受、寻欢作乐并十分活跃和愉快的

---

①〔伊万·屠格涅夫(1818—1883)〕俄国作家，代表作有《前夜》《父与子》等。　②〔高卢〕古代地名，现在法国、比利时等地。

③〔歌德(1749—1832)〕德国作家，代表作有《少年维特之烦恼》《浮士德》等。

巴黎。他只用几句话，就勾画出某人滑稽的轮廓。他用他那独特的、具有南方风味和吸引人的讽刺口吻谈论着一切事物和一切人……

他的头很小却很漂亮，乌木色的浓密卷发从头上一直披到肩上，与卷曲的胡须连成一片；他习惯用手捋①着自己的胡子尖。他的眼睛像切开的长缝，眯缝着，却从中射出一道墨一样的黑光。也许是由于过度近视，他的眼光有时很模糊；讲话的调子有些像唱歌。他举止活跃，手势生动，具有一切南方人的特征。

接着来的是左拉②。他爬了六层楼的楼梯累得呼呼直喘。一进来就歪在一把沙发上，并开始用眼光从大家的脸上寻找谈话的气氛和观察每人的精神状态。他很少讲话，总是歪坐着，压着一条腿，用手抓着自己的脚踝，很细心地听大家讲。当一种文学热潮或一种艺术的陶醉使谈话者激动了起来，并把他们卷入一些富于想象的人所喜爱的却又是极端荒谬、忘乎所以的学说中时，他就变得忧虑起来，晃动一下大腿，不时发出几声："可是……可是……"然而总是被别人的大笑声所淹没。过了一会儿，当福楼拜的激情冲动过去之后，他就不慌不忙地开始说话，声音总是很平静，句子也很温和。

左拉中等身材，微微发胖，有一副朴实但很固执的面

---

①〔捋(lǚ)〕用手指顺着抹过去。　②〔左拉(1840—1902)〕法国小说家，代表作有《小酒店》等。

庞。他的头像古代意大利版画中人物的头颅一样，虽然不漂亮，却表现出他的聪慧和坚强的性格。在他那很发达的脑门上竖立着很短的头发，直挺挺的鼻子像是被人很突然地在那长满浓密胡子的嘴上一刀切断了。这张肥胖但很坚毅的脸的下半部覆盖着修得很短的胡须，黑色的眼睛虽然近视，但透着十分尖锐的探求的目光。他的微笑总使人感到有点嘲讽，他那很特别的唇沟使上唇高高地翘起，又显得十分滑稽可笑。

　　渐渐地，人越来越多，挤满了小客厅。新来的人只好到餐厅里去。这时只见福楼拜做着大幅度的动作（就像他要飞起来似的），从这个人面前一步跨到那个人面前，带动得他的衣裤鼓起来，像一条渔船上的风帆。他时而激情满怀，时而义愤填膺①；有时热烈激动，有时雄辩过人。他激动起来未免逗人发笑，但激动后和蔼可亲的样子又使人心情愉快；尤其是他那惊人的记忆力和超人的博学多识往往使人惊叹不已。他可以用一句很明了很深刻的话结束一场辩论。思想一下子飞跃过几个世纪，并从中找出两个类同的事实或两段类似的格言，再加以比较。于是，就像两块同样的石头碰到一起一样，一束启蒙的火花从他的话语里迸发出来。

最后，他的朋友们一个个陆续走了。他分别送到前厅，单独讲一会儿话，紧紧握住对方的手，再热情地大笑着用手拍打几下对方的肩头……

研讨与练习

一　熟读课文，分别概括福楼拜、屠格涅夫、都德和左拉的肖像、语言、行动和性格的特点，并用表格说明。

二　短短的一篇文章，写了四位作家，作者是怎样组织材料、安排结构的？

三　福楼拜是莫泊桑文学创作的启蒙导师，他曾对莫泊桑说："你所要说的事物，都只有一个词来表达，只有一个动词来表示它的行动，只有一个形容词来形容它。因此就应该去寻

---

①〔义愤填膺(yīng)〕胸中充满了正义的愤恨。膺，胸。

找，直到发现这个词，这个动词和这个形容词，而决不应该满足于'差不多'……"试从课文中找出人物描写的准确而生动的词语或句子，以验证福楼拜对莫泊桑创作的影响。

读一读 写一写

博学多识　一拍即合　寻欢作乐　忘乎所以
义愤填膺

⑮ 孙权劝学①

《资治通鉴》

> 本文简练生动，用不多的几句话，就使人感受到人物说话时的口吻、情态和心理，既可见孙权的善于劝学，又表现了吕蒙才略的惊人长进。其中鲁肃与吕蒙的对话富有情趣，尤其值得玩味。

初，权谓吕蒙②曰："卿③今当涂④掌事，不可不学！"蒙辞⑤以军中多务⑥。权曰："孤⑦岂欲卿治经⑧为博士⑨

---

① 选自《资治通鉴》（中华书局1957年版）卷六十六，题目是编者加的。《资治通鉴》是司马光主持编纂的一部编年体通史，记载了从战国到五代共1362年间的史事。司马光（1019—1086），字君实，陕州夏县（现在山西夏县）人，生于光州光山（现在河南光山）。北宋政治家、史学家。孙权（182—252），字仲谋，吴郡富春（现在浙江富阳）人，三国时吴国的创建者。
②〔吕蒙（178—219）〕字子明，三国时吴国名将。　　③〔卿〕古代君对臣或朋友之间的爱称。　　④〔当涂〕当道，当权。　　⑤〔辞〕推托。　　⑥〔务〕事务。　　⑦〔孤〕古时王侯的自称。
⑧〔治经〕研究儒家经典。经，指《易》《诗》《书》《礼》《春秋》等书。
⑨〔博士〕当时专掌经学传授的学官。

邪①！但当涉猎②，见往事③耳。卿言多务，孰若孤？孤常读书，自以为大有所益。"蒙乃④始就学。及⑤鲁肃过⑥寻阳⑦，与蒙论议，大惊曰："卿今者才略⑧，非复⑨吴下⑩阿蒙⑪！"蒙曰："士别三日，即更⑫刮目相待⑬，大兄⑭何见事⑮之晚乎！"肃遂拜蒙母，结友而别。

研讨与练习

一　仔细阅读课文，想想吕蒙的变化对你有什么启示。

二　朗读课文，注意下列句子中加点的词所表示的语气。

　1. 孤岂欲卿治经为博士邪！

　2. 但当涉猎，见往事耳。

　3. 大兄何见事之晚乎！

---

①〔邪(yé)〕通"耶"，语气词。　②〔涉猎〕粗略地阅读。
③〔见往事〕了解历史。见，了解。往事，指历史。　④〔乃〕于是，就。　⑤〔及〕到了……的时候。　⑥〔过〕到。　⑦〔寻阳〕县名，现在湖北黄梅西南。　⑧〔才略〕军事方面或政治方面的才干和谋略。　⑨〔非复〕不再是。　⑩〔吴下〕指吴县，现在江苏苏州。　⑪〔阿蒙〕名字前面加"阿"，有亲昵的意味。
⑫〔更〕重新。　⑬〔刮目相待〕另眼相看，用新的眼光看待。刮目，擦擦眼。　⑭〔大兄〕长兄，这里是对同辈年长者的尊称。
⑮〔见事〕认清事物。

写作

写人要抓住特点

写作导引

　　记叙文常常需要写人。人物形形色色，写作时怎样避免写成"千人一面"，把"这个人"写"活"，写成"他自己"呢？

　　首先要认真观察，仔细比较，抓住"这个人"在外貌、语言、动作等方面的特点，加以细致描绘，突出人物的性格特征，让读者如见其人，如闻其声。

　　仔细观察下面一组人物肖像画，你知道他们分别是谁吗？请用一两句话形象地描绘他们的外貌。

　　A　　　　　　B　　　　　　C　　　　　　D

A. _____

B. _____

C. _____

D. _____

刻画人物的外貌不能面面俱到，而应细致、精确地描绘人物外貌最富有特征的部分，绘形传神。鲁迅先生说的"画眼睛"就是此意。

　　除了外貌，还可以抓住人物典型的动作、语言、心理等进行描绘。人的年龄、性别、性格、经历、职业、思想等不同，其动作行为、说话方式、思维习惯定然不同。语言大师老舍先生曾说过，一个老实人划火柴点烟而没点着，会说"唉，真没用，连根烟都点不着"，而一个性情暴躁的人则会把火柴往地上猛地一摔，高声怒骂起来。你还记得《福楼拜家的星期天》对几位大作家的描写吗？仔细体会一下，从中可以得到不少启发。

　　其次，还可以以事写人，围绕人物特征选择典型事件加以描写。例如，《邓稼先》一文，写了邓稼先在"文革"期间调解冲突、答复杨振宁关于中国原子武器工程是否有外国人参与、在井下信号消失时坚持留守现场等几件事，从多个侧面写出了邓稼先崇高的精神风貌。

　　要增加写人文章的真实性和感染力，还必须重视细节描写。比如《音乐巨人贝多芬》一文，通过"客人"的眼，细致地描写了贝多芬的外貌；在文章的结尾，又写了贝多芬最后一次指挥音乐会的情形。读了这些描写，贝多芬炽热而伟大的心灵、坚强的意志，就活生生地展现在我们面前了。应该注意的是，细节描写一方面需要适当的想象，另一方面更有赖于对人物的仔细观察和深入体会。

写作实践

　　一　片段写作：猜猜他是谁。从班上选择你熟悉的一个同学，用300字左右写一写他的特点。写好后，读给同学们听，看看大家能否猜出你写的是谁。

【提示】

1. 抓特点。要仔细观察，这个同学最突出的特点是什么：是他的相貌、衣着、声音，还是脾气性格？他的习惯性动作是什么？他有没有口头禅呢？抓住特点，是写好人物的第一步。

2. 细描绘。围绕特点细加描绘，用具体的细节来丰富人物形象，将人物特点凸显出来。

二　在上述片段写作的基础上进行扩展，补充一些事例，以《我的同学_____》为题，写一篇记人为主的文章。不少于500字。

【提示】

1. 记人文章中的叙事重在刻画人物形象，不刻意追求记叙事件的完整过程。

2. 典型事例既可以是人物关键时刻的重要行为，也可以是那些看似细小、平常却能凸显人物个性、思想特点的事情。

3. 多个事例应从不同角度表现人物的思想、性格特点。

4. 不要平均使用笔墨，而要详略结合。

三　你有特别崇拜的人吗？是邓稼先、闻一多、鲁迅那样的现当代伟人，还是李白、孙权那样的历史人物？是歌星、影星、球星，还是小王子、哈利·波特？或者只是你身边的某个人，他的言行举止、待人做事让你心生敬意？试以《我的偶像》为题目，完成一篇以写人为主的记叙文。不少于500字。

【提示】

1. 如果是你身边的偶像，那就是你特别熟悉的人，要仔细观察他的特点，写出他为什么吸引你，写出他的特别之处。

　　2. 如果不是你身边的偶像，可以搜集所写人物的有关资料或照片，结合你对他的了解，尝试描写他的外貌，并选择一两个事例，表现他的思想、性格特点。

第四单元

　　“语文是人类文化的重要组成部分。”这个单元选的是文化艺术方面的文章。通过阅读，我们可以从中看到作家对艺术的体验和感悟，及由此生发的对人生的思考和认识，可以提高自己的文化素养，陶冶情操。

　　学习本单元，要在理解课文的基础上，联系自己的生活体验，体会课文的思想内容，品味并积累优美的语句。

16 社 戏①

鲁 迅

> 月夜行船、船头看戏、月下归航，这段江南水乡的童年生活经历，不仅铭记在作者的心里，也会给每个读者留下深刻的印象。读这篇文章，你是否感受到其中表现出的盎然情趣？是否回想起你童年生活的某些片段？

我们鲁镇的习惯，本来是凡有出嫁的女儿，倘自己还未当家，夏间便大抵回到母家去消夏②。那时我的祖母虽然还康健，但母亲也已分担了些家务，所以夏期便不能多日的归省③了，只得在扫墓完毕之后，抽空去住几天，这时我便每年跟了我的母亲住在外祖母的家里。那地方叫平桥村，是一个离海边不远，极偏僻的，临河的小村庄；住户不满三十家，都种田，打鱼，只有一家很小的杂货店。

---

① 选自《呐喊》(《鲁迅全集》第 1 卷，人民文学出版社 2005 年版)。有删节。"社"原指土地神或土地庙。在绍兴，社是一种区域名称，社戏就是社中每年所演的"年规戏"。　②〔消夏〕消除、摆脱夏天的炎热，避暑。　③〔归省(xǐng)〕指出嫁的女儿回娘家看望父母。

但在我是乐土①：因为我在这里不但得到优待，又可以免念"秩秩斯干幽幽南山②"了。

和我一同玩的是许多小朋友，因为有了远客，他们也都从父母那里得了减少工作的许可，伴我来游戏。在小村里，一家的客，几乎也就是公共的。我们年纪都相仿，但论起行辈③来，却至少是叔子，有几个还是太公④，因为他们合村都同姓，是本家。然而我们是朋友，即使偶而吵闹起来，打了太公，一村的老老小小，也决没有一个会想出"犯上⑤"这两个字来，而他们也百分之九十九不识字。

我们每天的事情大概是掘蚯蚓，掘来穿在铜丝做的小钩上，伏在河沿上去钓虾。虾是水世界里的呆子，决不惮⑥用了自己的两个钳捧着钩尖送到嘴里去的，所以不半天便可以钓到一大碗。这虾照例是归我吃的。其次便是一同去放牛，但或者因为高等动物了⑦的缘故罢，黄牛水牛都欺生，敢于欺侮我，因此我也总不敢走近身，只好远远地跟着，站着。这时候，小朋友们便不再原谅我会读"秩秩斯干"，却全都嘲笑起来了。

---

①〔乐土〕安乐的地方。　②〔秩秩斯干幽幽南山〕《诗经·斯干》的头两句。意思是潺潺（chánchán）的山涧水，深远的南山。秩秩，水流的样子。斯，这个。干，山涧。幽幽，深远。旧时孩子上学总是念《诗经》之类难懂的书。　③〔行（háng）辈〕排行和辈分。　④〔太公〕对曾祖父一辈人的称呼。　⑤〔犯上〕触犯长辈或者地位比自己高的人。　⑥〔惮（dàn）〕怕，畏惧。　⑦〔高等动物了〕意思是成为高等动物了。

　　至于我在那里所第一盼望的，却在到赵庄去看戏。赵庄是离平桥村五里的较大的村庄；平桥村太小，自己演不起戏，每年总付给赵庄多少钱，算作合做的。当时我并不想到他们为什么年年要演戏。现在想，那或者是春赛①，是社戏了。

　　就在我十一二岁时候的这一年，这日期也看看等到了。不料这一年真可惜，在早上就叫不到船。平桥村只有一只早出晚归的航船②是大船，决没有留用的道理。其余的都是小船，不合用；央人到邻村去问，也没有，早都给别人定下了。外祖母很气恼，怪家里的人不早定，絮叨③起来。母亲便宽慰伊④，说我们鲁镇的戏比小村里的好得多，一年看几回，今天就算了。只有我急得要哭，母亲却竭力的嘱咐我，说万不能装模装样，怕又招外祖母生气，又不准和别人一同去，说是怕外祖母要担心。

　　总之，是完了。到下午，我的朋友都去了，戏已经开场了，我似乎听到锣鼓的声音，而且知道他们在戏台下买豆浆喝。

　　这一天我不钓虾，东西也少吃。母亲很为难，没有法子想。到晚饭时候，外祖母也终于觉察了，并且说我应当

---

　　①〔春赛〕春天举行的赛会。旧时民俗，在节日或者神的生日，准备仪仗、锣鼓、杂戏等迎神像出庙，周游街巷或村庄，叫做"赛会"。
　　②〔航船〕指航行在城镇和乡村间有一定班次的搭客的木船。
　　③〔絮叨〕翻来覆去地说。　　④〔伊〕第三人称代词，"五四"时期的文章里常用来指女性。

不高兴，他们太怠慢，是待客的礼数①里从来所没有的。吃饭之后，看过戏的少年们也都聚拢来了，高高兴兴的来讲戏。只有我不开口；他们都叹息而且表同情。忽然间，一个最聪明的双喜大悟似的提议了，他说，"大船？八叔的航船不是回来了么？"十几个别的少年也大悟，立刻撺掇②起来，说可以坐了这航船和我一同去。我高兴了。然而外祖母又怕都是孩子们，不可靠；母亲又说是若叫大人一同去，他们白天全有工作，要他熬夜，是不合情理的。在这迟疑之中，双喜可又看出底细来了，便又大声的说道，"我写包票③！船又大；迅哥儿向来不乱跑；我们又都是识水性的！"

　　诚然！这十多个少年，委实④没有一个不会凫水⑤的，而且两三个还是弄潮的好手⑥。

　　外祖母和母亲也相信，便不再驳回，都微笑了。我们立刻一哄的出了门。

　　我的很重的心忽而轻松了，身体也似乎舒展到说不出的大。一出门，便望见月下的平桥内泊着一只白篷的航船，大家跳下船，双喜拔前篙，阿发拔后篙，年幼的都陪我坐在舱中，较大的聚在船尾。母亲送出来吩咐"要小

①〔礼数〕礼节。　　②〔撺掇(cuānduo)〕从旁鼓动人做某事。
③〔写包票〕也称打包票，表示对某件事情有绝对把握。"包票"是保证书一类的东西。　　④〔委实〕实在。　　⑤〔凫(fú)水〕游泳。
⑥〔弄潮的好手〕懂得水性，善于游水使船的人。弄潮，在潮头搏浪嬉戏。

心"的时候，我们已经点开船，在桥石上一磕，退后几尺，即又上前出了桥。于是架起两支橹①，一支两人，一里一换，有说笑的，有嚷的，夹着潺潺的船头激水的声音，在左右都是碧绿的豆麦田地的河流中，飞一般径向赵庄前进了。

两岸的豆麦和河底的水草所发散出来的清香，夹杂在水气中扑面的吹来；月色便朦胧在这水气里。淡黑的起伏的连山，仿佛是踊跃的铁的兽脊似的，都远远地向船尾跑去了，但我却还以为船慢。他们换了四回手，渐望见依稀②的赵庄，而且似乎听到歌吹了，还有几点火，料想便是戏台，但或者也许是渔火③。

那声音大概是横笛，宛转，悠扬④，使我的心也沉静，然而又自失⑤起来，觉得要和他弥散⑥在含着豆麦蕴藻⑦之香的夜气里。

那火接近了，果然是渔火；我才记得先前望见的也不是赵庄。那是正对船头的一丛松柏林，我去年也曾经去游玩过，还看见破的石马倒在地下，一个石羊蹲在草里呢。过了那林，船便弯进了叉港⑧，于是赵庄便真在眼前了。

最惹眼的是屹立在庄外临河的空地上的一座戏台，模

---

①〔橹(lǔ)〕在船艄拨水使船前进的工具，比桨大。　　②〔依稀〕隐隐约约。　　③〔渔火〕夜间捕鱼点的灯火。　　④〔宛转，悠扬〕这里是形容笛声的曲折和谐，优美动听。　　⑤〔自失〕(听得出神)忘了自己。⑥〔弥散〕弥漫消散。　　⑦〔蕴藻〕水草。　　⑧〔叉港〕同大河相通的小河道。

胡①在远处的月夜中，和空间几乎分不出界限，我疑心画上见过的仙境，就在这里出现了。这时船走得更快，不多时，在台上显出人物来，红红绿绿的动，近台的河里一望乌黑的是看戏的人家的船篷。

"近台没有什么空了，我们远远的看罢。"阿发说。

这时船慢了，不久就到，果然近不得台旁，大家只能下了篙，比那正对戏台的神棚②还要远。其实我们这白篷的航船，本也不愿意和乌篷的船③在一处，而况并没有空地呢……

在停船的匆忙中，看见台上有一个黑的长胡子的④背上插着四张旗，捏着长枪，和一群赤膊的人正打仗。双喜说，那就是有名的铁头老生⑤，能连翻八十四个筋斗⑥，他日里亲自数过的。

我们便都挤在船头上看打仗，但那铁头老生却又并不翻筋斗，只有几个赤膊的人翻，翻了一阵，都进去了，接着走出一个小旦⑦来，咿咿呀呀的唱，双喜说，"晚上看客少，铁头老生也懈了，谁肯显本领给白地⑧看呢?"我相信这话对，因为其时台下已经不很有人，乡下人为了明天的工作，熬不得夜，早都睡觉去了，疏疏朗朗的站着的不过

---

①〔模胡〕现在写作"模糊"。　②〔神棚〕演戏时搭的供神像的棚。③〔乌篷的船〕即"乌篷船"，船篷是用黑油涂过的。　④〔一个黑的长胡子的〕一个涂成黑脸挂着长胡子的演员。　⑤〔铁头老生〕那个演员的外号。老生，戏曲中扮演中年以上男子的角色，这里指会唱、会翻打的武老生。　⑥〔筋斗〕跟头。　⑦〔小旦〕戏曲中扮演年轻女子的角色。　⑧〔白地〕空地。

是几十个本村和邻村的闲汉。乌篷船里的那些土财主的家眷固然在，然而他们也不在乎看戏，多半是专到戏台下来吃糕饼水果和瓜子的。所以简直可以算白地。

然而我的意思却也并不在乎看翻筋斗。我最愿意看的是一个人蒙了白布，两手在头上捧着一支棒似的蛇头的蛇精，其次是套了黄布衣跳老虎。但是等了许多时都不见，小旦虽然进去了，立刻又出来了一个很老的小生①。我有些疲倦了，托桂生买豆浆去。他去了一刻，回来说，"没有。卖豆浆的聋子也回去了。日里倒有，我还喝了两碗呢。现在去舀一瓢水来给你喝罢。"

我不喝水，支撑着仍然看，也说不出见了些什么，只觉得戏子的脸都渐渐的有些稀奇了，那五官渐不明显，似乎融成一片的再没有什么高低。年纪小的几个多打呵欠了，大的也各管自己谈话。忽而一个红衫的小丑②被绑在台柱子上，给一个花白胡子的用马鞭打起来了，大家才又振作精神的笑着看。在这一夜里，我以为这实在要算是最好的一折③。

然而老旦④终于出台了。老旦本来是我所最怕的东西，尤其是怕他坐下了唱。这时候，看见大家也都很扫兴，才知道他们的意见是和我一致的。那老旦当初还只是踱来踱去的唱，后来竟在中间的一把交椅⑤上坐下了。我很担心；

————————

①〔小生〕戏曲中扮演年轻男子的角色。　②〔小丑〕戏曲中扮演滑稽人物的角色。　③〔一折〕一出。　④〔老旦〕戏曲中扮演老年女子的角色。　⑤〔交椅〕这里指比较大的靠背椅子。

双喜他们却就破口喃喃的骂。我忍耐的等着，许多工夫，只见那老旦将手一抬，我以为就要站起来了，不料他却又慢慢的放下在原地方，仍旧唱。全船里几个人不住的吁气，其余的也打起呵欠来。双喜终于熬不住了，说道，怕他会唱到天明还不完，还是我们走的好罢。大家立刻都赞成，和开船时候一样踊跃，三四人径奔船尾，拔了篙，点退几丈，回转船头，驾起橹，骂着老旦，又向那松柏林前进了。

月还没有落，仿佛看戏也并不很久似的，而一离赵庄，月光又显得格外的皎洁。回望戏台在灯火光中，却又如初来未到时候一般，又漂渺①得像一座仙山楼阁，满被红霞罩着了。吹到耳边来的又是横笛，很悠扬；我疑心老旦已经进去了，但也不好意思说再回去看。

不多久，松柏林早在船后了，船行也并不慢，但周围的黑暗只是浓，可知已经到了深夜。他们一面议论着戏子，或骂，或笑，一面加紧的摇船。这一次船头的激水声更其响亮了，那航船，就像一条大白鱼背着一群孩子在浪花里蹿，连夜渔②的几个老渔父，也停了艇子看着喝采③起来。

离平桥村还有一里模样，船行却慢了，摇船的都说很疲乏，因为太用力，而且许久没有东西吃。这回想出来的是桂生，说是罗汉豆④正旺相⑤，柴火又现成，我们可以

---

①〔漂渺〕现在写作"缥缈"，隐隐约约，若有若无。　②〔夜渔〕夜间捕鱼。　③〔喝采〕现在写作"喝彩"。　④〔罗汉豆〕蚕豆。
⑤〔旺相（xiàng）〕茂盛。

偷一点来煮吃的。大家都赞成，立刻近岸停了船；岸上的田里，乌油油的便都是结实的罗汉豆。

"阿阿，阿发，这边是你家的，这边是老六一家的，我们偷那一边的呢？"双喜先跳下去了，在岸上说。

我们也都跳上岸。阿发一面跳，一面说道，"且慢，让我来看一看罢。"他于是往来的摸了一回，直起身来说道，"偷我们的罢，我们的大得多呢。"一声答应，大家便散开在阿发家的豆田里，各摘了一大捧，抛入船舱中。双喜以为再多偷，倘给阿发的娘知道是要哭骂的，于是各人便到六一公公的田里又各偷了一大捧。

我们中间几个年长的仍然慢慢的摇着船，几个到后舱去生火，年幼的和我都剥豆。不久豆熟了，便任凭航船浮在水面上，都围起来用手撮①着吃。吃完豆，又开船，一面洗器具，豆荚豆壳全抛在河水里，什么痕迹也没有了。双喜所虑的是用了八公公船上的盐和柴，这老头子很细心，一定要知道，会骂的。然而大家议论之后，归结是不怕。他如果骂，我们便要他归还去年在岸边拾去的一枝枯柏树②，而且当面叫他"八癞子"。

"都回来了！那里会错。我原说过写包票的！"双喜在船头上忽而大声的说。

我向船头一望，前面已经是平桥。桥脚上站着一个

①〔撮（cuō）〕用手指捏取细碎的东西。　②〔柏（jiù）树〕也叫"乌柏"，一种落叶乔木，种子可以榨油，作肥皂、蜡烛的原料。

人，却是我的母亲，双喜便是对伊说着话。我走出前舱去，船也就进了平桥了，停了船，我们纷纷都上岸。母亲颇有些生气，说是过了三更了，怎么回来得这样迟，但也就高兴了，笑着邀大家去吃炒米。

大家都说已经吃了点心，又渴睡①，不如及早睡的好，各自回去了。

第二天，我向午②才起来，并没有听到什么关系八公公盐柴事件的纠葛，下午仍然去钓虾。

"双喜，你们这班小鬼，昨天偷了我的豆了罢？又不肯好好的摘，踏坏了不少。"我抬头看时，是六一公公棹着③小船，卖了豆回来了，船肚里还有剩下的一堆豆。

"是的。我们请客。我们当初还不要你的呢。你看，你把我的虾吓跑了！"双喜说。

六一公公看见我，便停了楫④，笑道，"请客？——这是应该的。"于是对我说，"迅哥儿，昨天的戏可好么？"

我点一点头，说道，"好。"

"豆可中吃呢？"

我又点一点头，说道，"很好。"

不料六一公公竟非常感激起来，将大拇指一翘，得意的说道，"这真是大市镇里出来的读过书的人才识货！我的豆种是粒粒挑选过的，乡下人不识好歹，还说我的豆比

---

①〔渴睡〕很想睡觉。　②〔向午〕将近中午。　③〔棹(zhào)着〕划着。　④〔楫(jí)〕桨。

不上别人的呢。我今天也要送些给我们的姑奶奶①尝尝去……"他于是打着楫子过去了。

待到母亲叫我回去吃晚饭的时候，桌上便有一大碗煮熟了的罗汉豆，就是六一公公送给母亲和我吃的。听说他还对母亲极口夸奖我，说"小小年纪便有见识，将来一定要中状元。姑奶奶，你的福气是可以写包票的了"。但我吃了豆，却并没有昨夜的豆那么好。

真的，一直到现在，我实在再没有吃到那夜似的好豆，——也不再看到那夜似的好戏了。

一九二二年十月。

研讨与练习

一　课文结尾说："真的，一直到现在，我实在再没有吃到那夜似的好豆，——也不再看到那夜似的好戏了。"对这个结尾应该怎样理解？你在生活中有这样的体会吗？

二　月夜行船、月下归航两段的写景叙事都非常精彩。前一段是通过哪些所见所闻来烘托"我"的急迫心情的？后一段中"我"的心情与去看戏时有什么不同？

三　揣摩下列语句，回答括号中的问题。

1.我的很重的心忽而轻松了，身体也似乎舒展到说不出的大。（"轻松"和"舒展"表现了"我"什么样的心情？）

---

①〔姑奶奶〕娘家人称呼已经出嫁的姑娘。这里指"我"的母亲。

2. 淡黑的起伏的连山，仿佛是踊跃的铁的兽脊似的，都远远地向船尾跑去了，但我却还以为船慢。

（山为什么说"踊跃"？）

3. 回望戏台在灯火光中，却又如初来未到时候一般，又漂渺得像一座仙山楼阁，满被红霞罩着了。

（"回望"表现了"我"怎样的心情？"罩"表现了怎样的情形？）

4. 不料六一公公竟非常感激起来，将大拇指一翘，得意的说道……

（被人偷了豆，六一公公为什么还要"感激"？）

四△有人认为本文直接写社戏的内容太少，而写社戏以外的内容太多，因此建议把标题改为"平桥村一夜"之类的题目。你同意这一看法吗？为什么？如果大家对此有兴趣，不妨开一次小组会讨论一下这个问题。

读一读 写一写

惮　踱　棹　归省　行辈　撺掇　凫水

🔶 安塞腰鼓①

刘成章

> 　　舞！舞！舞！忘情地奔放，狂野地倾泻，西北汉子的安塞腰鼓，带给我们力量的奔腾，生命的升华。让我们大声朗读这篇文章，体会它那恢弘的气势，跟上它那铿锵的节奏，让我们的心灵随之激荡吧！

一群茂腾腾的后生。

他们的身后是一片高粱地。他们朴实得就像那片高粱。

咝溜溜的南风吹动了高粱叶子，也吹动了他们的衣衫。

他们的神情沉稳而安静。紧贴在他们身体一侧的腰鼓，呆呆地，似乎从来不曾响过。

但是：

看！——

一捶起来就发狠了，忘情了，没命了！百十个斜背响

---

① 选自1986年10月3日《人民日报》，略有改动。

鼓的后生，如百十块被强震不断击起的石头，狂舞在你的面前。骤雨一样，是急促的鼓点；旋风一样，是飞扬的流苏；乱蛙一样，是蹦跳的脚步；火花一样，是闪射的瞳仁；斗虎一样，是强健的风姿。黄土高原上，爆出一场多么壮阔、多么豪放、多么火烈的舞蹈哇——安塞腰鼓！

这腰鼓，使冰冷的空气立即变得燥热了，使恬静的阳光立即变得飞溅了，使困倦的世界立即变得亢奋①了。

使人想起：落日照大旗，马鸣风萧萧！

使人想起：千里的雷声万里的闪！

使人想起：晦暗②了又明晰，明晰了又晦暗，尔后最终永远明晰了的大彻大悟！

容不得束缚，容不得羁绊③，容不得闭塞。是挣脱了、冲破了、撞开了的那么一股劲！

好一个安塞腰鼓！

百十个腰鼓发出的沉重响声，碰撞在四野长着酸枣树的山崖上，山崖蓦然④变成牛皮鼓面了，只听见隆隆，隆隆，隆隆。

百十个腰鼓发出的沉重响声，碰撞在遗落了一切冗杂⑤的观众的心上，观众的心也蓦然变成牛皮鼓面了，也是隆隆，隆隆，隆隆。

---

①〔亢(kàng)奋〕极度兴奋。　　②〔晦(huì)暗〕昏暗。这里是迷惘、糊涂的意思。　　③〔羁(jī)绊〕缠住不能脱身，束缚。羁，约束。
④〔蓦(mò)然〕突然，猛然。　　⑤〔冗(rǒng)杂〕繁杂。

隆隆隆隆的豪壮的抒情，隆隆隆隆的严峻的思索，隆隆隆隆的犁尖翻起的杂着草根的土浪，隆隆隆隆的阵痛的发生和排解……

好一个安塞腰鼓！

后生们的胳膊、腿、全身，有力地搏击着，疾速地搏击着，大起大落地搏击着。它震撼着你，烧灼着你，威逼着你。它使你从来没有如此鲜明地感受到生命的存在、活跃和强盛。它使你惊异于那农民衣着包裹着的躯体，那消化着红豆角角老南瓜的躯体，居然可以释放出那么奇伟磅礴的能量！

黄土高原啊，你生养了这些元气淋漓的后生；也只有你，才能承受如此惊心动魄的搏击！

多水的江南是易碎的玻璃，在那儿，打不得这样的腰鼓。

除了黄土高原，哪里再有这么厚这么厚的土层啊！

好一个黄土高原！好一个安塞腰鼓！

每一个舞姿都充满了力量。每一个舞姿都呼呼作响。每一个舞姿都是光和影的匆匆变幻。每一个舞姿都使人战栗在浓烈的艺术享受中，使人叹为观止①。

好一个痛快了山河、蓬勃了想象力的安塞腰鼓！

愈捶愈烈！形体成了沉重而又纷飞的思绪！

愈捶愈烈！思绪中不存任何隐秘！

愈捶愈烈！痛苦和欢乐，生活和梦幻，摆脱和追求，

①〔叹为观止〕赞美看到的事物好到了极点。

都在这舞姿和鼓点中，交织！旋转！凝聚！奔突！辐射！翻飞！升华！人，成了茫茫一片；声，成了茫茫一片……

　　当它戛然而止①的时候，世界出奇的寂静，以至使人感到对她十分陌生了。

　　简直像来到另一个星球。

　　耳畔是一声渺远的鸡啼。

研讨与练习

一　这篇文章运用大量短句，来营造激越的气氛。反复朗读全文，注意句与句、段与段之间的联系，读出文章的气势。

二　联系上下文，品味语句，回答括号中的问题。

　　1.容不得束缚，容不得羁绊，容不得闭塞。是挣脱了、冲破了、撞开了的那么一股劲！

　　　　（"那么一股劲"要"挣脱""冲破""撞开"什么？是什么"束缚""羁绊""闭塞"了"那么一股劲"？）

　　2.它使你惊异于那农民衣着包裹着的躯体，那消化着红豆角角老南瓜的躯体，居然可以释放出那么奇伟磅礴的能量！

　　　　（过着贫困生活的农民，哪里来的那么强大的力量？）

　　3.多水的江南是易碎的玻璃，在那儿，打不得这样的腰鼓。

　　　　（为什么"多水的江南"打不得这样的腰鼓？）

　　4.耳畔是一声渺远的鸡啼。

　　　　（为什么听到这样的"鸡啼"？）

---

　　①〔戛(jiá)然而止〕声音突然中止。

三　本文大量使用了排比和反复的修辞方法，语言气势充沛，节奏鲜明，感情强烈。排比，是把结构相同或相似、语气一致、意思密切关联的一组句子或词语排列起来，以增强语势，加深感情。例如："痛苦和欢乐，生活和梦幻，摆脱和追求，都在这舞姿和鼓点中，交织！旋转！凝聚！奔突！辐射！翻飞！升华！"反复，是为了突出某个意思，强调某种感情，特意重复某个词语或句子。在本文中，它常常是与排比结合起来使用的。例如："容不得束缚，容不得羁绊，容不得闭塞。"试从课文中找出一段单用排比的和一段综合运用排比和反复的文字，仔细体会它们的表达效果。

读一读　写一写

狂舞　闪射　火烈　飞溅　亢奋　晦暗　羁绊
蓦然　冗杂　搏击　烧灼　奔突　翻飞　大彻大悟

18 竹　影①

丰子恺

> 几个小伙伴，借着月光画竹影，你一笔，我一画，参参差差，明明暗暗，竟然有几分中国画的意味。也许，艺术和美就蕴含在孩子的童稚活动中。你是否有过类似的体验呢？

吃过晚饭后，天气还是闷热。窗子完全打开了，房间里还坐不牢②。太阳虽已落山，天还没有黑。一种幽暗的光弥漫在窗际，仿佛电影中的一幕。我和弟弟就搬了藤椅子，到屋后的院子里去乘凉。

天空好像一盏乏了油的灯，红光渐渐地减弱。我把眼睛守定西天看了一会儿，看见那光一跳一跳地沉下去，非常微细，但又非常迅速而不可挽救。正在看得出神，似觉

---

① 选自《丰子恺文集（艺术卷）》（浙江文艺出版社、浙江教育出版社1990年版）。有删改。丰子恺（1898—1975），原名丰润，浙江崇德人，现代画家、散文家。　②〔坐不牢〕坐不住。

眼梢头另有一种微光，渐渐地在那里强起来。回头一看，原来月亮已在东天的竹叶中间放出她的清光。院子里的光景已由暖色变成寒色，由长音阶（大音阶）变成短音阶（小音阶）了。门口一个黑影出现，好像一只立起的青蛙，向我们跳将过来。来的是弟弟的同学华明。

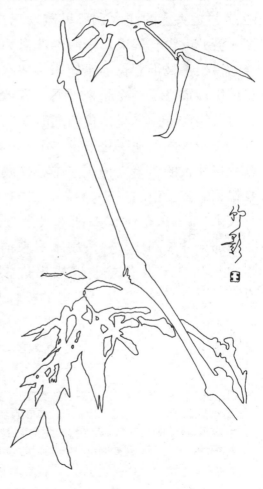

"唉，你们惬意得很！这椅子给我坐的？"他不待我们回答，一屁股坐在藤椅上，剧烈地摇他的两脚。椅子背所靠的那根竹，跟了他的动作而发抖，上面的竹叶作出萧萧的声音来。这引起了三人的注意，大家仰起头来向天空看。月亮已经升得很高，隐在一丛竹叶中。竹叶的摇动把她切成许多不规则的小块，闪烁地映入我们的眼中。大家赞美了一番之后，我说："我们今晚干些什么呢?"弟弟说:"我们谈天吧。我先有一个问题给你们猜:细看月亮光底下的人影,头上出烟气。这是什么道理?"我和华明都不相信,于是大家走出竹林外,蹲下来看水门汀①上的人影。我看了好久,果然看见头上有一缕一缕的细烟,好像漫画里所描写的动怒的人。"是口里的热气吧?""是头上的汗水在那里蒸发吧?"大家蹲在地上争论了一会儿,没有解决。华明的注意力却转向了别处,他从身边摸出一枝半寸长的铅笔来,在水门汀上热心地描写自己的影。描好了,立起来一看,真像一只青蛙,他自己看了也要笑。徘徊之间,我们同时发现了映在水门汀上的竹叶的影子,同声地叫起来:"啊! 好看啊! 中国画!"华明就拿半寸长的铅笔去描。弟弟手痒起来,连忙跑进屋里去拿铅笔。我学他的口头禅喊他:"对起,对起,给我也带一枝来!"不久他拿了一把木炭来分送我们。华明就收藏了他那半寸长的法宝,改用木炭来描。大家蹲下去,用木炭在水门汀上参参差差地描出许多竹叶来。一面谈着:"这一枝很像校长先生房间里的横幅呢!""这一丛很像我家堂前的立轴②呢!""这是《芥子园画谱》③里的!""这是吴昌硕④的!"忽然一个大人的声音在我们头上慢慢地响出

---

①〔水门汀(tīng)〕水泥,有时也指混凝土。英语 cement 的音译。这里指用水泥抹的地。　　②〔立轴〕长条形的字画,高而窄。　　③〔《芥子园画谱》〕即《芥子园画传》,为中国画技法图谱,清初编印成书,影响很大。　　④〔吴昌硕(1844—1927)〕浙江安吉人,清末民初书画篆刻家。

来："这是管夫人的！"大家吃了一惊，立起身来，看见爸爸反背着手立在水门汀旁的草地上看我们描竹，他明明是来得很久了。华明难为情似的站了起来，把拿木炭的手藏在背后，似乎害怕爸爸责备他弄脏了我家的水门汀。爸爸似乎很理解他的意思，立刻对着他说道："谁想出来的？这画法真好玩呢！我也来描几瓣看。"弟弟连忙拣木炭给他。爸爸也蹲在地上描竹叶了，这时候华明方才放心，我们也更加高兴，一边描，一边拿许多话问爸爸：

"管夫人是谁？""她是一位善于画竹的女画家。她的丈夫名叫赵子昂①，是一位善于画马的男画家。他们是元朝人，是中国很有名的两大夫妻画家。"

"马的确难画，竹有什么难画呢？照我们现在这种描法，岂不很容易又很好看吗？""容易固然容易；但是这么'依样画葫芦'，终究缺乏画意，不过好玩罢了。画竹不是照真竹一样描，须经过选择和布置。画家选择竹的最好看的姿态，巧妙地布置在纸上，然后成为竹的名画。这选择和布置很困难，并不比画马容易。画马的困难在于马本身上，画竹的困难在于竹叶的结合上。粗看竹画，好像只是墨笔的乱撇，其实竹叶的方向、疏密、浓淡、肥瘦，以及集合的形体，都要讲究。所以在中国画法上，竹是一专门部分。平生专门研究画竹的画家也有。"

---

①〔赵子昂（1254—1322）〕即赵孟頫（fǔ），子昂是他的字，湖州（现在浙江吴兴）人，元朝初期书画家。

"竹为什么不用绿颜料来画，而常用墨笔来画呢？用绿颜料撇竹叶，不更像吗？""中国画不注重'像不像'，不像西洋画那样画得同真物一样。凡画一物，只要能表现出像我们闭目回想时所见的一种神气，就是佳作了。所以西洋画像照相，中国画像符号。符号只要用墨笔就够了。原来墨是很好的一种颜料，它是红黄蓝三原色等量混合而成的。故墨画中看似只有一色，其实包罗三原色，即包罗世界上所有的颜色。故墨画在中国画中是很高贵的一种画法。故用墨来画竹，是最正当的。倘然用了绿颜料，就因为太像实物，反而失却神气。所以中国画家不喜欢用绿颜料画竹；反之，却喜欢用与绿相反的红色来画竹。这叫做'朱竹'，是用笔蘸了朱砂来撇的。你想，世界上哪有红色的竹？但这时候画家所描的，实在已经不是竹，而是竹的一种美的姿势，一种活的神气，所以不妨用红色来描。"爸爸说到这里，丢了手中的木炭，立起身来结束说："中国画大都如此。我们对中国画应该都取这样的看法。"

月亮渐渐升高了，竹影渐渐与地上描着的木炭线相分离，现出参差不齐的样子来，好像脱了版的印刷。夜渐深了，华明就告辞。"明天白天来看这地上描着的影子，一定更好看。但希望天不要落雨，洗去了我们的'墨竹'，大家明天会！"他说着就出去了。我们送他出门。

我回到堂前，看见中堂挂着的立轴——吴昌硕描的墨竹，似觉更有意味。那些竹叶的方向、疏密、浓淡、肥瘦，以及集合的形体，似乎都有意义，表现着一种美的姿态，一种活的神气。

研讨与练习

一 通读全文，概括课文内容。

二 课文写"我"和小伙伴看天看月看人影看竹影，充满童趣。你觉得哪些描写最为生动？为什么？

三△ 我们在生活中经常做游戏，比如用泥巴造城堡，用雪堆娃娃，用野花编花环……留心一下，想一想：你是否也在进行着一种艺术上的创造，也有艺术上的发现呢？

读一读 写一写

撇 蘸 幽暗 惬意 疏密 包罗 朱砂 口头禅
参差不齐

朗读要注意重音

苏联戏剧家斯坦尼斯拉夫斯基说过，重音就好像人的食指，指示着节奏中或句子中最主要的词。例如：

"他叫你明天去。"

"他叫你明天去。"

"他叫你明天去。"

"他叫你明天去。"

"他叫你明天去。"

同样一句话，重音不同，所强调的意思也不同。由此可见，重音对语意的表达有重要的作用，朗读中必须注意把握。至于哪些词语应该读重音，必须根据文章的情感内容来确定。

⑲ 观 舞 记①
——献给印度舞蹈家卡拉玛姐妹

冰 心

> 大幕徐徐拉开，卡拉玛姐妹翩翩起舞。那轻盈的舞姿，美妙的旋律，娇媚的装扮，把异国的文化风情形象地展现在我们面前。读了这篇文章，你能想象出那生命与心灵的跃动和狂欢吗？

我应当怎样来形容印度卡拉玛姐妹的舞蹈？

假如我是个诗人，我就要写出一首长诗，来描绘她们的变幻多姿的旋舞。

假如我是个画家，我就要用各种彩色，点染出她们的清扬的眉宇和绚丽的服装。

假如我是个作曲家，我就要用音符来传达出她们轻捷的舞步和细响的铃声。

---

① 选自《冰心全集》第4卷（海峡文艺出版社1994年版）。有改动。

假如我是个雕刻家，我就要在玉石上模拟出她们的充满了活力的苗条灵动的身形。

然而我什么都不是！我只能用我自己贫乏的文字，来描写这惊人的舞蹈艺术。

如同一个婴儿，看到了朝阳下一朵耀眼的红莲，深林中一只旋舞的孔雀，他想叫出他心中的惊喜，但是除了咿哑之外，他找不到合适的语言。

但是，朋友，难道我就能忍住满心的欢喜和激动，不向你吐出我心中的"咿哑"？

我不敢冒充研究印度舞蹈的学者，来阐述印度舞蹈的历史和派别，来说明她们所表演的婆罗多舞是印度舞蹈的正宗。我也不敢像舞蹈家一般，内行地赞美她们的一举手一投足，是怎样地"本色当行①"。

我只是一个欣赏者，但是我愿意努力说出我心中所感受的飞动的"美"！

朋友，在一个难忘的夜晚——

帘幕慢慢地拉开，台中间小桌上供奉着一尊湿婆天②的舞像，两旁是燃着的两盏高脚铜灯，舞台上的气氛是静穆庄严的。

卡拉玛·拉克希曼出来了。真是光艳的一闪！她向观众深深地低头合掌，抬起头来，她亮出她的秀丽的面庞和

---

①〔本色当行〕做本行的事，成绩十分显著。　②〔湿婆天〕婆罗门教和印度教的主神之一，即毁灭之神、苦行之神、舞蹈之神。

那能说出万千种话的一对长眉，一双眼睛。

她端凝地站立着。

笛子吹起，小鼓敲起，歌声唱起，卡拉玛开始舞蹈了。

她用她的长眉，妙目，手指，腰肢，用她鬈上的花朵，腰间的褶裙，用她细碎的舞步，繁响的铃声，轻云般慢移，旋风般疾转，舞蹈出诗句里的离合悲欢。

我们虽然不晓得故事的内容，但是我们的情感，却能随着她的动作，起了共鸣！我们看她忽而双眉颦蹙①，表现出无限的哀愁；忽而笑颊粲然②，表现出无边的喜乐；忽而侧身垂睫，表现出低回婉转的娇羞；忽而张目嗔视③，表现出叱咤风云④的盛怒；忽而轻柔地点额抚臂，画眼描眉，表演着细腻妥帖的梳妆；忽而挺身屹立，按箭引弓，使人几乎听得见铮铮的弦响！像湿婆天一样，在舞蹈的狂欢中，她忘怀了观众，也忘怀了自己。她只顾使出浑身解数，用她灵活熟练的四肢五官，来讲说着印度古代的优美的诗歌故事！

一段一段的舞蹈表演过（小妹妹拉达，有时单独舞蹈，有时和姐姐配合，她是一只雏凤！形容尚小而功夫已深，将来的成就也是不可限量的），我们发现她们不但是表现神和人，就是草木禽兽：如莲花的花开瓣颤、小鹿的

---

① 〔颦蹙(píncù)〕皱着眉头，形容忧愁的样子。　② 〔粲(càn)然〕笑容灿烂的样子。　③ 〔嗔(chēn)视〕生气地看。　④ 〔叱咤(chìzhà)风云〕形容威力极大。

疾走惊跃、孔雀的高视阔步，都能形容尽致，尽态极妍①！最精彩的是"蛇舞"，颈的轻摇，肩的微颤：一阵一阵的柔韧的蠕动，从右手的指尖，一直传到左手的指尖！我实在描写不出，只能借用白居易的两句诗"珠缨炫转星宿摇，花鬘斗薮龙蛇动②"来包括了。

看了卡拉玛姐妹的舞蹈，使人深深地体会到印度的优美悠久的文化艺术：舞蹈、音乐、雕刻、图画……都如同一条一条的大榕树上的树枝，枝枝下垂，入地生根。这么多树枝在大地里面息息相通，吸收着大地母亲给予它的食粮的供养，而这大地就是印度的广大人民群众。

卡拉玛和拉达还只是这棵大榕树上的两条柔枝。虽然卡拉玛以她22岁的年华，已过了17年的舞台生活；12岁的拉达也已经有了4年的演出经验，但是我们知道印度的伟大的大地母亲，还会不断地给她们以滋润培养的。

最使人惆怅的是她们刚显示给中国人民以她们"游龙"般的舞姿，因着她们祖国广大人民的需求，她们又将在两三天内"惊鸿③"般地飞了回去！

北京的早春，找不到像她们的南印度故乡那样的丰满芬芳的花朵，我们只能学她们的伟大诗人泰戈尔的充满诗

---

①〔尽态极妍(yán)〕使仪态和丽质最充分地显示出来。　②〔珠缨炫转星宿摇，花鬘(mán)斗薮(sǒu)龙蛇动〕出自白居易《新乐府·骠国乐》。形容舞蹈者的舞姿和服饰都很优美。鬘，形容头发美。斗薮，摇动、振落。　③〔惊鸿〕惊飞的鸿雁，形容美人体态轻盈。

意的说法：让我们将我们一颗颗的赞叹感谢的心，像一朵朵的红花似的穿成花串，献给她们挂在胸前，带回到印度人民那里去，感谢他们的友谊和热情，感谢他们把拉克希曼姐妹送来的盛意！

研讨与练习

一 熟读课文，完成下面两题。

    1.试从文章中找出描写印度舞蹈特点的语句。

    2.作者是从哪些方面表现卡拉玛姐妹舞蹈的"飞动的'美'"的？

二 这篇文章大量运用比喻、排比等修辞方法来描写卡拉玛姐妹优美的舞蹈。找出你认为写得精妙的句段，细心体会并加以积累。

三△ 你阅读、观看或聆听过外国的文艺作品（舞蹈、文学、绘画、雕刻、影视、音乐等）吗？如果有，请举例说说你的感受，与同学们交流一下。

读一读 写一写

清扬　咿哑　静穆　端凝　颦蹙　粲然　嗔视

变幻多姿　本色当行　离合悲欢　低回婉转　叱咤风云

浑身解数　高视阔步　尽态极妍　息息相通

 20 口 技①

林嗣环

本文记叙了一场精彩的口技表演，读来如临其境，如闻其声，令人叹服。作者笔下的这场口技表演距今已三百多年，今天仍能使我们深切感受到这一传统民间艺术的魅力。

京中有善口技者。会②宾客大宴，于厅事③之东北角，施④八尺屏障⑤，口技人坐屏障中，一桌、一椅、一扇、一抚尺⑥而已。众宾团坐⑦。少顷⑧，但闻⑨屏障中抚尺一下，满坐寂然⑩，无敢哗者。

---

① 节选自《虞初新志·秋声诗自序》（北京文学古籍刊行社1954年版）。题目为后人所拟。《虞初新志》是清代张潮编选的笔记小说。林嗣环，字铁崖，福建晋江人，清代顺治年间进士。　②〔会〕适逢，正赶上。③〔厅事〕大厅，客厅。　④〔施〕设置，安放。　⑤〔屏障〕指屏风、围帐一类用来挡住视线的东西。　⑥〔抚尺〕艺人表演用的道具，也叫"醒木"。　⑦〔团坐〕围绕而坐。　⑧〔少顷〕一会儿。⑨〔但闻〕只听见。但，只。　⑩〔满坐寂然〕全场静悄悄的。坐，通"座"。

遥闻深巷中犬吠，便有妇人惊觉欠伸①，其夫呓语②。既而③儿醒，大啼。夫亦醒。妇抚④儿乳⑤，儿含乳啼，妇拍而呜⑥之。又一大儿醒，絮絮⑦不止。当是⑧时，妇手拍儿声，口中呜声，儿含乳啼声，大儿初醒声，夫叱大儿声，一时⑨齐发，众妙毕备⑩。满坐宾客无不伸颈，侧目⑪，微笑，默叹⑫，以为妙绝。

未几⑬，夫齁⑭声起，妇拍儿亦渐拍渐止。微闻有鼠作作索索⑮，盆器倾侧⑯，妇梦中咳嗽。宾客意少舒⑰，稍稍正坐。

忽一人大呼"火起"，夫起大呼，妇亦

---

①〔欠伸〕打呵欠，伸懒腰。　②〔呓(yì)语〕说梦话。　③〔既而〕不久，紧接着。　④〔抚〕抚摸，安慰。　⑤〔乳〕喂奶。⑥〔呜〕指轻声哼唱着哄小孩入睡。　⑦〔絮絮〕连续不断地说话。⑧〔是〕这。　⑨〔一时〕同时。　⑩〔众妙毕备〕各种妙处都具备，意思是各种声音都模仿得极像。毕，全、都。　⑪〔侧目〕偏着头看，形容听得入神。　⑫〔默叹〕默默地赞叹。　⑬〔未几〕不久。　⑭〔齁(hōu)〕打鼾。　⑮〔作作索索〕老鼠活动的声音。⑯〔倾侧〕翻倒倾斜。　⑰〔意少舒〕心情稍微放松了些。少，稍微。舒，伸展、松弛。

起大呼。两儿齐哭。俄而百千人大呼，百千儿哭，百千犬吠。中间①力拉崩倒②之声，火爆声，呼呼风声，百千齐作；又夹百千求救声，曳屋许许声③，抢夺声，泼水声。凡所应有，无所不有④。虽⑤人有百手，手有百指，不能指其一端⑥；人有百口，口有百舌，不能名⑦其一处也。于是宾客无不变色离席，奋袖出臂⑧，两股⑨战战⑩，几⑪欲先走。

忽然抚尺一下，群响毕绝。撤屏视之，一人、一桌、一椅、一扇、一抚尺而已。

研讨与练习

一　熟读课文，根据提示，画出并体会文中描摹音响的语句。

　　1.表现深夜一家四口由睡到醒、由醒入睡的过程。

　　　①由远而近，由外而内，由小而大，由分而合。

　　　②由大而小，由密而疏，微闻余声。

---

①〔中间(jiàn)〕其中夹杂着。　　②〔力拉崩倒〕劈里啪啦，房屋倒塌。力拉，拟声词。　　③〔曳(yè)屋许许(hǔhǔ)声〕(众人)拉塌(燃烧着的)房屋时一齐用力的呼喊声。曳，拉。许许，拟声词。

④〔凡所应有，无所不有〕应有尽有。形容声音之杂。　　⑤〔虽〕即使。　　⑥〔不能指其一端〕不能指明其中的（任何）一种（声音）。形容口技模拟的各种声响同时发出，交织成一片，使人不能一一辨识。一端，一头，这里是"一种"的意思。　　⑦〔名〕说出。　　⑧〔奋袖出臂〕扬起袖子，露出手臂。奋，扬起、举起。　　⑨〔股〕大腿。⑩〔战战〕打哆嗦，打战。　　⑪〔几(jī)〕几乎。

2.表现从失火到救火的情形。

①响声大作，由少而多。

②百千齐作，应有尽有。

二　联系课文内容，回答下列问题。

1.文中多次描述听众的反应，这些描述有什么效果？

2.文中前后两次把极简单的道具交代得清清楚楚，这对文章的结构和表现口技表演者的技艺有什么作用？

三　解释下列句子中加点的字词。

1.会宾客大宴……

2.但闻屏障中抚尺一下，满坐寂然，无敢哗者。

3.妇抚儿乳，儿含乳啼，妇拍而呜之。

4.宾客意少舒，稍稍正坐。

5.虽……人有百口，口有百舌，不能名其一处也。

6.于是宾客无不变色离席，奋袖出臂，两股战战，几欲先走。

四　辨析下列表示时间的词语，将它们分别填在横线上。然后以这些词语为线索，背诵全文。

少顷　既而　是时　一时　未几　忽　俄而　忽然

1.表示突然发生：＿＿＿＿＿　＿＿＿＿＿

2.表示同时发生：＿＿＿＿＿

3.表示相继发生：＿＿＿＿＿

4.表示在特定的时间内发生：＿＿＿＿＿

5.表示过了很短时间就发生：＿＿＿＿＿　＿＿＿＿＿　＿＿＿＿＿

写作

表达自己的看法

写作导引

记叙、描写、抒情是我们都了解的表达方式，有时还需要一点儿恰当的议论，也就是发表自己的看法。这里所说的议论，不是指纯粹的议论性文章，而是指在记叙、描写的过程中适当穿插一些议论性文字，用以表达自己的观点。例如杨振宁《邓稼先》一文，在叙述了奥本海默和邓稼先的不同性格之后指出："邓稼先是中国几千年传统文化所孕育出来的有最高奉献精神的儿子。邓稼先是中国共产党的理想党员。"这样直接发表观点，使作者的态度更加鲜明，文章的思想主题也得到升华。

在以记叙、描写为主的文章里表达自己的看法，应该注意哪些地方呢？

一是要建立在叙述、描写的基础上，与之融为一体，自然贴切。例如，在《安塞腰鼓》一文里，作者先淋漓尽致地描写了打腰鼓的壮观场面，然后发表自己的看法："黄土高原啊，你生养了这些元气淋漓的后生；也只有你，才能承受如此惊心动魄的搏击！"又如朱自清在《春》一文里，先细腻生动地描写了春天的情景，随后用一句话点明了文章的思想内涵："'一年之计在于春',刚起头儿,有的是工夫,有的是希望。"如果没有前面的描写,这句话虽然正确,却很难说对读者能有多少感染力了。

二是要简明、凝练。在叙述、描写中发表看法,不同于单纯的议论性文字,是对叙述、描写内容的补充、提炼、升华。应当尽量将自己的观点通过简洁的语言集中、概括地表达出来,引起读者的共鸣和思考。例如《紫藤萝瀑布》中作者面对紫藤萝花的勃勃生机,体会到:"花和人都会遇到各种各样的不幸,但是生命的长河是无止境的。"从花想到人,其中包含的感悟十分深刻,但作者并没有详细讨论,而是将思考的空间留给读者。假如作者在这里用很长的篇幅,展开深入议论,虽然可能看起来是把问题讲"深"讲"透"了,但文章的情韵和余味也就丧失了。我们在叙述、描写中发表看法时,也要注意避免冗长、游离,要让议论起到"画龙点睛"的作用。

写作实践

一   从课文或你课外阅读的作品中选择一个叙述或描写的段落,试着自己加上几句话,表明你从中读出的观点。

【提示】

1. 选择作者没有直接表明观点的段落,根据自己的阅读体会,总结你的观点。

2. 提出的观点要建立在原文内容的基础上,不要脱离原文,空发议论。

二   每一天,社会上都会有各种新闻事件发生,吸引着人们的注意。你有关注时事的习惯吗?从近期报刊或网络上选择一件你感兴趣的新闻事件，写一篇短文，叙述事件的经过并写下你的思考。

【提示】

1. 选择有价值的新闻事件，仔细分析，从中提炼出要表达的看法。

2. 写作时要考虑读者对象，看法和观点要明确、集中，最好有自己的独特见解，不用展开。

3. 写完后加以修改，有条件的，可向报社投稿或发表在博客上。

三　写一篇文章，记叙一件在你身边发生的，令你受到深刻触动或引起你思考的事情，并写出你对这件事的看法。不少于500字。

【提示】

1. 不要随意选一件事来写，要写让自己确实有所感悟的经历。

2. 结合记叙、描写表达自己的观点，写出自己独特的思考。

3. 议论性的文字要简洁，重点在于讲清楚自己的体会，引起读者的进一步思考。

综合性学习

戏曲大舞台

中国的戏曲，源远流长，有着鲜明的民族风格，是人们喜闻乐见的文艺形式。全国许多地方都有自己的剧种，可谓百花齐放，异彩纷呈。每个地方的戏曲，都具有自己独特的地域文化风情，如京剧的雍容华美，昆曲的典雅精致，梆子戏的高亢悲凉，越剧的轻柔婉转，可以说一方水土造就一方戏曲。今天，就让我们走进民族文化的瑰宝——戏曲天地之中，去感受它博大的内涵，去品味它悠长的韵味吧。

以下活动，可以根据不同情况，灵活开展。

一、查一查，比一比

我国的戏曲，历史悠久，种类繁多。据统计，全国现有的戏曲剧种约有三百六十多种，传统剧目数以万计。很多剧种，都有其独特的演变过程。如大家都知道的京剧，就是由安徽的徽调和湖北的汉调及昆曲、秦腔糅合发展而来的；东北的吉剧，是由民间说唱艺术二人转衍化而来的。

中国的戏曲和西方戏剧不同，它有自己独特的审美观念和表演体系。比如我们经常在戏里看见的大花脸，那就是戏曲中的一个行当。戏曲剧中人物由生、旦、净、丑等不同行当来充任。表演上也具有中国传统美学的写意特点，比如用几个龙套演员就代表千军万马，舞台上开门关门等也往往用虚拟的动作来表现。

中国的戏曲，真是几天几夜也说不完。现在，班上同学可以按自己的兴趣分组，查找资料，了解中国戏曲的一般知识；看看全国有些什么地方剧种，它们各有什么特点；访问当地有关研究人员、剧团专业人士和戏曲爱好者，了解戏曲文化知识和你家乡的地方戏。在此基础上，举办一次戏曲知识竞赛。

二、听一听，唱一唱（以下四种活动可供选择）

1. 平时，大多数同学喜爱流行的影视文化，很少接触戏曲。俗话说，要知道梨子的滋味，最好亲口尝一尝。现在，大家行动起来，创造条件，观看戏曲表演，亲身感受一下戏曲艺术的魅力。可以去剧场或露天舞台，欣赏剧团的演出；也可以观看有关的戏曲影碟和电视中的梨园风景线、曲苑杂谈和戏曲欣赏等栏目。然后同学之间交流观感，写一篇日记或周记。

2. 人们常常说"听戏"而不是"看戏"，可见"听"对于欣赏传统戏曲是多么重要。学习之余，你可以找来有关戏曲的磁带或光盘，有选择地听一些著名戏曲表演艺术家的戏曲唱段或念白，从唱腔中体味戏曲特有的韵味。你喜欢的好段子，可以推荐给同学听听，精彩的唱词不妨记下来，同时抄给其他同学，"奇文共欣赏"。

3. 清晨，你可能在河边听到戏迷在"吊嗓子"，也可能看到一些戏友聚在公园的一角，津津有味地表演节目。你也想学唱几句吗？如有条件，不妨来个"拜师学艺"，向戏曲专业人员或戏曲爱好者学几招；退而求其次，也可跟着电视机、收音机、磁带、唱碟等唱唱；朋友聚会，集体活动，卡拉OK，也可以唱上几句。

4. 看着别人在台上演唱得有板有眼，有声有色，有滋有味，你也许想亲自上台，一试身手。现在，请你与同学商量，或去民间采集，或从书本中寻找，选好一出大家喜爱的戏或一个片段，分好角色，做些道具，粉墨登场，来一番戏曲表演——当然，最好演你的家乡戏。

第五单元

探险，既是人类对未知的探寻，也是人类对自身的挑战。从高峻的山峰到深邃的海底，从浩瀚的大洋到茫茫的宇宙，哪里有奥秘，哪里就有人类的足迹。其间有成功的欣喜，也有失败的悲壮。探险过程中的任何艰难险阻，都遏制不住人类探索未知世界的激情，阻挡不了人类迈向全新领域的脚步。本单元学习几篇有关探险的课文，愿借此激起你探索自然奥秘的壮志豪情。

学习这个单元，主要练习快速默读课文，抓住课文主要信息，概括内容要点。

21 伟大的悲剧①

茨威格

> 冰雪覆盖的南极，吸引了一批批勇敢的探险家。1911 年底，挪威探险家阿蒙森和英国探险家斯科特，在南极展开了一场富于戏剧性又令人心酸的角逐。课文写的是这场角逐后，斯科特这位失败的英雄和他的队员在归途中的悲壮覆没。阅读后想想：胜利和失败，在这里该怎样定义？

　　1912 年 1 月 16 日这一天，斯科特一行清晨启程，出发得比平时更早，为的是能早一点看到无比美丽的秘密。焦急的心情把他们早早地从自己的睡袋中拽②了出来。到中午，这五个坚持不懈的人已走了 14 公里。他们热情高涨

---

①　选自《人类的群星闪耀时》（生活·读书·新知三联书店 1986 年版）。舒昌善译。有删节。题目是编者加的。茨威格（1881—1942），奥地利作家。他的主要成就体现在传记文学和小说创作方面。
②　〔拽(zhuài)〕拉。

地行走在荒无人迹的白色雪原上，因为现在再也不可能达不到目的地了，为人类所作的决定性的业绩几乎已经完成。可是突然之间，伙伴之一的鲍尔斯变得不安起来。他的眼睛紧紧盯着无垠雪地上的一个小小的黑点。他不敢把自己的猜想说出来：可能已经有人在这里树立了一个路标。但现在其他的人也都可怕地想到了这一点。他们的心在战栗，只不过还想尽量安慰自己罢了——就像鲁滨孙在荒岛上发现陌生人的脚印时竭力想把它看作是自己的脚印一样①。其实，他们心中早已明白：以阿蒙森为首的挪威人已在他们之先到过这里了。

　　没过多久，他们发现雪地上插着一根滑雪杆，上面绑着一面黑旗，周围是他人扎过营地的残迹——滑雪板的痕迹和许多狗的足迹。在这严酷的事实面前也就不必再怀疑：阿蒙森在这里扎过营地了。千万年来人迹未至，或者说，太古以来从未被世人瞧见过的地球的南极点竟在极短的时间之内——即一个月内两次被人发现，这是人类历史上闻所未闻、最不可思议的事。而他们恰恰是第二批到达的人，他们仅仅迟到了一个月。虽然昔日逝去的光阴数以几百万个月计，但现在迟到的这一个月，却显得太晚太晚了——对人类来说，第一个到达者拥有一切，第二个到达者什么也不是。一切努力成了徒劳，历尽千辛万苦显得十

---

　　①〔就像……一样〕这是英国小说家笛福（1660—1731）的长篇小说《鲁滨孙漂流记》中的一个情节。

分可笑，几星期、几个月、几年的希望简直可以说是癫狂。"历尽千辛万苦，无尽的痛苦烦恼，风餐露宿——这一切究竟为了什么？还不是为了这些梦想，可现在这些梦想全完了。"——斯科特在他的日记中这样写道。泪水从他们的眼睛里夺眶而出。尽管精疲力竭，这天晚上他们还是夜不成眠。他们像被判了刑似的失去希望，闷闷不乐地继续走着那一段到极点去的最后路程，而他们原先想的是：欢呼着冲向那里。他们谁也不想安慰别人，只是默默地拖着自己的脚步往前走。1月18日，斯科特海军上校和他的四名伙伴到达极点。由于他已不再是第一个到达这里的人，所以这里的一切并没有使他觉得十分耀眼。他只用冷漠的眼睛看了看这块伤心的地方。"这里看不到任何东西，和前几天令人毛骨悚然①的单调没有任何区别。"这就是罗伯特·福尔肯·斯科特关于极点的全部描写。他们在那里发现的唯一不寻常的东西，不是由自然界造成的，而是由角逐的对手造成的，那就是飘扬着挪威国旗的阿蒙森的帐篷。挪威国旗耀武扬威、扬扬得意地在这被人类冲破的堡垒上猎猎作响。它的占领者还在这里留下一封信，等待着这个不相识的第二名的到来，他相信这第二名一定会随他之后到达这里，所以他请他把那封信带给挪威的哈康国王。斯科特接受了这项任务，他要忠实地去履行这一最冷酷无情的职责：在世界面前为另一个人完成的业绩作

---

　　①〔毛骨悚（sǒng）然〕形容十分恐惧。悚然，恐惧的样子。

证，而这一事业正是他自己所热烈追求的。

　　他们怏怏不乐①地在阿蒙森的胜利旗帜旁边插上英国国旗——一面姗姗来迟的"联合王国的国旗"，然后离开了这块"辜负了他们雄心壮志"的地方。在他们身后刮来凛冽的寒风。斯科特怀着不祥的预感在日记中写道："回去的路使我感到非常可怕。"

　　回来的路程危险增加了十倍，在前往极点的途中只要遵循罗盘②的指引，而现在他们还必须顺着自己原来的足迹走去，在几个星期的行程中必须小心翼翼，绝对不能偏离自己原来的脚印，以免错过事先设置的贮藏点——在那里储存着他们的食物、衣服和凝聚着热量的几加仑③煤油。但是漫天大雪封住了他们的眼睛，使他们每走一步都忧心忡忡，因为一旦偏离方向，错过了贮藏点，无异于直接走向死亡。况且他们体内已缺乏那种初来时的充沛精力，因为那时候丰富的营养所含有的化学能和南极之家的温暖营房都给他们带来了力量。

　　当初，他们一想到自己所进行的探险是人类的不朽事业时，就有超人的力量。而现在，他们仅仅是为了使自己的皮肤不受损伤、为了自己终将死去的肉体的生存、为了没有任何光彩的回家而斗争。在他们的内心深处，与其说

---

　　①〔怏怏（yàngyàng）不乐〕形容不满意或不高兴的神情。　　②〔罗盘〕测定方向的仪器，由有方位刻度的圆盘和装在中间的指南针构成。
③〔加仑〕英美制容量单位，英制 1 加仑约等于 4.546 升，美制 1 加仑约等于 3.785 升。

盼望着回家，毋宁①说更害怕回家。

阅读那几天的日记是可怕的。天气变得愈来愈恶劣，寒季比平常来得更早。他们鞋底下的白雪由软变硬，结成厚厚的冰凌，踩上去就像踩在三角钉上一样，每走一步都要粘住鞋，刺骨的寒冷吞噬②着他们已经疲惫不堪的躯体。他们往往一连几天畏缩不前，走错路，每当他们到达一个贮藏点时，就稍稍高兴一阵，日记的字里行间重新闪现出信心的火焰。在阴森森的一片寂寞之中，始终只有这么几个人在行走，他们的英雄气概不能不令人钦佩。最能证明这一点的莫过于负责科学研究的威尔逊博士，在离死只有寸步之遥的时候，他还在继续进行着自己的科学观察。他的雪橇上，除了一切必需的载重外，还拖着 16 公斤的珍贵岩石样品。

然而，人的勇气终于渐渐地被大自然的巨大威力所销蚀。这里的自然界是冷酷无情的，千万年来积聚的力量能使它像精灵似的召唤来寒冷、冰冻、飞雪、风暴——使用这一切足以毁灭人的法术来对付这五个鲁莽大胆的勇敢者。他们的脚早已冻烂。食物的定量愈来愈少，一天只能吃一顿热餐，由于热量不够，他们的身体已变得非常虚弱。一天，伙伴们可怕地发觉，他们中间最身强力壮的埃文斯突然精神失常。他站在一边不走了，嘴里念念有词，不停地抱怨着他们所受的种种苦难——有的是真的，有的

---

①〔毋(wú)宁〕不如。　　②〔吞噬(shì)〕吞食。

是他的幻觉。从他语无伦次①的话里，他们终于明白，这个苦命的人由于摔了一跤或者由于巨大的痛苦已经疯了。对他怎么办？把他抛弃在这没有生命的冰原上？不。可是另一方面，他们又必须毫不迟疑地迅速赶到下一个贮藏点，要不然……从日记里看不出斯科特究竟打算怎么办。2月17日夜里1点钟，这位不幸的英国海军军士死去了。那一天他们刚刚走到"屠宰场营地"，重新找到了上个月屠宰的矮种马，第一次吃上比较丰盛的一餐。

现在只有四个人继续走路了，但灾难又降临到头上。下一个贮藏点带来的是新的痛苦和失望。储存在这里的煤油太少了，他们必须精打细算地使用这最为必需的用品——燃料，他们必须尽量节省热能，而热能恰恰是他们防御严寒的唯一武器。冰冷的黑夜，周围是呼啸不停的暴风雪，他们胆怯地睁着眼睛不能入睡，他们几乎再也没有力气把毡鞋的底翻过来。但他们必须继续拖着身子往前走，他们中间的奥茨已经在用冻掉了脚趾的脚板行走。风刮得比任何时候都厉害。3月2日，他们到了下一个贮藏点，但再次使他们感到可怕的绝望：那里储存的燃料又是非常之少。

现在他们真是惊慌到了极点。从日记中，人们可以觉察到斯科特如何尽量掩饰着自己的恐惧，但从强制的镇静中还是一再迸发出绝望的厉叫："再这样下去，是不行

_____

①〔语无伦次〕话讲得很乱，没有条理。

了"，或者"上帝保佑呀！我们再也忍受不住这种劳累了"，或者"我们的戏将要悲惨地结束"。最后，终于出现了可怕的自白："唯愿上帝保佑我们吧！我们现在已很难期望人的帮助了。"不过，他们还是拖着疲惫的身子，咬紧牙关，绝望地继续向前走呀，走呀。奥茨越来越走不动了，越来越成为朋友们的负担，而不再是什么帮手。一天中午，气温达到零下 40 摄氏度，他们不得不放慢走路的速度，不幸的奥茨不仅感觉到，而且心里也明白，这样下去，他会给朋友们带来厄运，于是作好了最后的准备。他向负责科学研究的威尔逊要了十片吗啡，以便在必要时加快结束自己。他们陪着这个病人又艰难地走了一天路程。然后这个不幸的人自己要求他们将他留在睡袋里，把自己的命运和他们的命运分开来。但他们坚决拒绝了这个主意，尽管他们都清楚，这样做无疑会减轻大家的负担。于是病人只好用冻伤了的双腿跟跟跄跄地又走了若干公里，一直走到夜宿的营地。他和他们一起睡到第二天早晨。清早起来，他们朝外一看，外面是狂吼怒号的暴风雪。

奥茨突然站起身来，对朋友们说："我要到外边去走走，可能要多待一些时候。"其余的人不禁战栗起来。谁都知道，在这种天气下到外面去走一圈意味着什么。但是谁也不敢说一句阻拦他的话，也没有一个人敢伸出手去向他握别。他们大家只是怀着敬畏的心情感觉到：劳伦斯·奥茨——这个英国皇家禁卫军的骑兵上尉正像一个英雄似的向死神走去。

现在只有三个疲惫、羸弱①的人吃力地拖着自己的脚步，穿过那茫茫无际、像铁一般坚硬的冰雪荒原。他们疲倦已极，已不再抱任何希望，只是靠着迷迷糊糊的直觉支撑着身体，迈着蹒跚的步履。天气变得愈来愈可怕，每到一个贮藏点，迎接他们的是新的绝望，好像故意捉弄他们似的，只留下极少的煤油，即热能。3月21日，他们离下一个贮藏点只有20公里了。但暴风雪刮得异常凶猛，好像要人的性命似的，使他们无法离开帐篷。每天晚上他们都希望第二天能到达目的地，可是到了第二天，除了吃掉一天的口粮外，只能把希望寄托在第二个明天。他们的燃料已经告罄②，而温度计却指在零下40摄氏度。任何希望都破灭了。他们现在只能在两种死法中间进行选择：是饿死还是冻死。四周是白茫茫的原始世界，三个人在小小的帐篷里同注定的死亡进行了八天的斗争。3月29日，他们知道再也不会有任何奇迹能拯救他们了，于是决定不再迈步向厄运走去，而是骄傲地在帐篷里等待死神的来临，不管还要忍受怎样的痛苦。他们爬进各自的睡袋，却始终没有向世界哀叹过一声自己最后遭遇到的种种苦难。

凶猛的暴风雪像狂人似的袭击着薄薄的帐篷，死神正在悄悄地走来，就在这样的时刻，斯科特海军上校回想起了与自己有关的一切。因为只有在这种从未被人声冲破过

①〔羸(léi)弱〕瘦弱。　②〔告罄(qìng)〕指财物用完。

的极度寂静之中，他才会悲壮地意识到自己对祖国、对全人类的亲密情谊。但是在这白雪皑皑的荒漠上，只有心中的海市蜃楼，它召来那些由于爱情、忠诚和友谊曾经同他有过联系的各种人的形象，他给所有这些人留下了话。斯科特海军上校在他行将死去的时刻，用冻僵的手指给他所爱的一切人写了书信。

斯科特海军上校的日记一直记到他生命的最后一息，记到他的手指完全冻住，笔从僵硬的手中滑下来为止。他希望以后会有人在他的尸体旁发现这些能证明他和英国民族勇气的日记，正是这种希望使他能用超人的毅力把日记写到最后一刻。最后一篇日记是他用已经冻伤的手指哆哆嗦嗦写下的愿望："请把这本日记送到我的妻子手中！"但他随后又悲伤地、坚决地画去了"我的妻子"这几个字，在它们上面补写了可怕的"我的遗孀"。

住在基地木板屋里的伙伴们等待了好几个星期，起初充满信心，接着有点忧虑，最后终于愈来愈不安。他们曾两次派出营救队去接应，但是恶劣的天气又把他们挡了回来。一直到南极的春天到来之际，10月29日，一支探险队才出发，至少要去找到那几位英雄的尸体。11月12日，他们到达那个帐篷，发现英雄们的尸体已冻僵在睡袋里，死去的斯科特还像亲兄弟似的搂着威尔逊。他们找到了那些书信和文件，并且为那几个悲惨死去的英雄们垒了一个石墓。在堆满白雪的墓顶上竖着一个简陋的黑色十字架。

在英国国家主教堂里，国王跪下来悼念这几位英雄。

一个人虽然在同不可战胜的厄运的搏斗中毁灭了自己，但他的心灵却因此变得无比高尚。所有这些在一切时代都是最伟大的悲剧。

研讨与练习

一　阅读课文，向同学复述这个故事，并说说其中哪些细节最让你激动难忘。

二　联系上下文，体味下列语句的含义，讨论括号里的问题。

1. 对人类来说，第一个到达者拥有一切，第二个到达者什么也不是。

    （作者在这里要表达的是什么意思？你同意这种说法吗？）

2. 挪威国旗耀武扬威、扬扬得意地在这被人类冲破的堡垒上猎猎作响。

    （国旗怎么会"耀武扬威""扬扬得意"？这里表现出斯科特内心什么样的复杂感情？）

3. 斯科特接受了这项任务，他要忠实地去履行这一最冷酷无情的职责：在世界面前为另一个人完成的业绩作证，而这一事业正是他自己所热烈追求的。

    （斯科特为什么要接受这项为他人业绩作证的任务？他不接受不行吗？）

4. 但是在这白雪皑皑的荒漠上，只有心中的海市蜃楼，它召来那些由于爱情、忠诚和友谊曾经同他有过联系的各种人的形象，他给所有这些人留下了话。

（联系上下文看，"心中的海市蜃楼"是指什么？作者为什么要这样比喻？）

5. 一个人虽然在同不可战胜的厄运的搏斗中毁灭了自己，但他的心灵却因此变得无比高尚。所有这些在一切时代都是最伟大的悲剧。

（这两句话是什么意思？在全文中起什么作用？）

三 斯科特在生命的最后一刻，在寒风凛冽的南极帐篷里，给英国公众写下了一封绝命书。下面摘录的是这封信的一部分。阅读后结合课文内容（有条件的，可在课外查找有关斯科特的其他材料），写一篇阅读笔记。

此次灾难的原因并不在于组织工作不当，而在于一切必须担当的冒险事业都可能遭遇的厄运。……

世界上绝对不会再有比我们遭到的最后这个打击更不幸的遭遇了。我们来到离我们所熟悉的"一吨营"只有11英里路的地方时，剩下的只有煮最后一顿饭的燃料和两天的粮食。

四天来我们无法离开帐篷——狂风在我们四周怒吼。我们身体虚弱，写字很困难。仅就我个人来说，我对这次探险毫无悔意，因为它显示出英国人能吃苦耐劳，互相帮助，并一如既往，能以坚忍不拔的伟大毅力去面对死亡的精神。我们明明知道有风险，但还是顶着风险干。是情况发生了逆转，因此我们没有理由怨天尤人，只有顺从天命；但还是决心尽力而为，至死方休。然而，既然我们是为了祖国的光荣而自愿献身于这项事业，我在这里向我们的同胞们呼吁，请大家对我们的遗孤加以适当照顾。

　　如果我们能够活下来，我本来想把我的伙伴们坚忍不拔、勇往直前的事迹讲给大家听。它一定会深深打动每一个英国人的心。如今不得不让这些潦草的札记和我们的尸体来讲这些事迹了。……

（黄继忠译）

读一读　写一写

拽　无垠　癫狂　凛冽　吞噬　销蚀　羸弱　步履
告罄　遗孀　坚持不懈　千辛万苦　风餐露宿
夜不成眠　精疲力竭　闷闷不乐　毛骨悚然
耀武扬威　扬扬得意　怏怏不乐　姗姗来迟
忧心忡忡　疲惫不堪　畏缩不前　鲁莽大胆
念念有词　语无伦次　精打细算　与其……毋宁

22 在沙漠中心①

圣埃克絮佩里

> 20 世纪初，飞机还不是一种常见的交通工具，最初从事航空事业的人们用生命探索、开辟出一条条新航线。作者是撒哈拉航线的一位飞行员，在 1935 年的一次飞行中，飞机坠毁在利比亚沙漠。在各种求救求生措施均告失败后，濒临死亡的他却感到了一种内心的平静……

在这种没有水汽的地方，地上的热量很快就辐射完了。天气已经很冷了。我站起来走路，但很快我就哆嗦得受不了了。我的血液因缺水而循环不畅，寒气逼人，但这不只是夜晚的寒冷。我的牙床冻得咯咯作响，身子也抖得跟筛糠似

---

① 节选自《人类的大地》（江苏教育出版社 2005 年版）。有删节。黄荭译。圣埃克絮佩里（1900—1944），法国作家。他是法国最早的一代飞行员之一，二战期间在一次执行任务时失踪。其作品多描述飞行员生活，代表作有《夜航》《人类的大地》《空军飞行员》《小王子》等。

的。我颤抖的手几乎抓不住电灯①。我从前从不怕冷，而现在我却感到自己要冻死了，干渴产生的反应多奇怪啊！

因为懒得在大热天带着我的橡胶雨衣，我把它扔在路上了。可如今风越刮越猛。我发现在沙漠里根本没有藏身之所。沙漠就像大理石那么光滑。在白天它不会为你提供一点儿阴凉，晚上只会让你在寒风中没有一点儿遮蔽。没有一棵树、一道篱笆、一块石头可以容我藏身。寒风就像平原上的骑兵向我直冲过来，我只好团团转以躲避它的来犯。我躺下，又站起来。不管是躺着还是站着，我都得挨寒风的鞭打。我跑不动了，我再也没有力气了，我逃不出凶手的魔爪，我跪倒在地，脸埋在手心里，屠刀就在我头上！

过了一会儿，我才清醒过来。我站起身，笔直朝前走去，身子一直颤抖着！我在哪儿？啊！我刚离开，我听见普雷沃②的声音！是他的呼叫唤醒了我……

我朝他走回去，一直哆嗦着，好像在不停地打嗝儿。我对自己说："这不是寒冷，是别的原因，是我的大限③到了。"我已经缺水缺得太厉害了。前天，还有昨天，我独自出去走了那么多路！

冻死的想法让我难受，我宁可死在内心的幻影里。那个十字架，那些阿拉伯人，那些灯④。不管怎么说，它们开始

---

①〔我颤抖的手几乎抓不住电灯〕此时是夜间，"我"手持电灯在沙漠中寻找出路。　　②〔普雷沃〕"我"的同事和战友，失事飞机上的机械师。③〔大限〕指死亡的期限。　　④〔那个十字架……那些灯〕这些是"我"在沙漠中曾经出现过的幻觉。

引起我的注意。我不喜欢像奴隶那样忍受鞭打……

　　我仍然跪在地上。

　　我们随身还带了一点儿药品。100 克纯乙醚①，100 克 90 度的酒精和一瓶碘酒。我试着喝了两三口纯乙醚，那就好像我吞了刀子下去。之后我又喝了一点儿 90 度的酒精，这下总算是把我的喉咙封住了。

　　我在沙地上挖了一个坑，我躺在里面，然后再用沙子盖住身体。只有我的脸露在外面。普雷沃找到了几根枯枝，生了一堆很快就会燃尽的火。普雷沃不愿意把自己埋在沙子里，他宁可跺脚取暖。他错了。

　　我的喉咙发紧，这不是个好兆头，但我自我感觉好过一点儿了。我感觉平静，一种超越了任何希望的平静。我身不由己地踏上旅程，面对星空被绑在贩奴船的甲板上。但我或许还不是很不幸……

　　我不再感到寒冷，只要不动任何肌肉。于是，我忘了埋在沙子里的躯体。我不再动弹，永远都不会再感到痛苦。何况，说实在的，人受的苦还真不算多……在所有这些苦痛过后，剩下的就是疲倦和错乱的协奏了。一切都变成画册，变成有点儿残忍的童话故事……刚才，风驱赶着我四下乱窜，为了躲避它，我像困兽一样团团转。之后我感到呼吸困难，好像是膝盖硌着我的胸膛。我在天使的重负下挣扎。在沙漠

---

　　①〔乙醚(mí)〕无色液体，易挥发，有特殊气味，极易燃烧。医药上用作麻醉剂。

里我从来都不是孤身一人。既然我现在不相信周围的一切，我不如缩在自己的躯壳里，闭上眼睛，不再动一根睫毛。我感到，有一股图像的激流把我带到一个宁静的梦里：在大海深处，江河就平静了。

永别了，你们这些我曾经爱过的人。如果人体不能忍受三天不喝水，那可绝不是我的错。我过去没想到自己对水源竟是那么依赖，我没料到人的忍耐力竟是如此短促。我们以为自己可以笔直朝前方走去，以为人是自由的……我们没看见把我们拴在井上的绳索，它像脐带一样，把我们和大地肚子连在一起。谁多走了一步，谁就得死。

除了你们的痛苦，什么我都不在乎了。不管怎么说，上天待我不薄。如果我能回去，我还会卷土重来。我需要生活。在城市里，已经没有人的生活了。

我这里说的根本就不是飞机。飞机，它不是一个目的，而是一个工具。人们并不是为了飞机而去冒生命的危险，同样农人也不是为了犁铧①才去耕种。通过飞机，人们可以离开城市和他们的会计师，可以重新找到农人的真谛。

我们干的是人的工作，我们遇到的也是人的烦恼。我们接触的是风、星星、黑夜、沙漠和海洋。我们和大自然的力量斗智斗勇。我们期待黎明就像农人期待春天，我们期待中途站②就像期待一片福地，我们在群星中寻找

---

① 〔犁铧(líhuá)〕翻土用的农具。　② 〔中途站〕飞机长途飞行，要有中途站补给油料，才能安全抵达终点。

自己的真理。

我不抱怨。三天来，我走了很多路，口干舌燥，在沙漠里寻找行踪，把露水当做希望。我力图找到我的同类，我忘了他们住在地球上的什么地方，这才是活着的人的忧虑。我不能不认为它比在晚上找一家音乐厅要重要得多。

我再也不能理解那些乘坐郊区火车的芸芸众生，他们自以为是人，然而却因承受着某种他们感觉不到的压力而沦为像蚂蚁一样的虫豸①。当空闲的时候，他们用什么来填满他们那些荒唐而短促的礼拜日呢？

我在工作中是幸福的。我觉得自己是中途站的农人。在郊区火车上，我感到的垂死的感受和在此地的感受大不相同！在这里，不管怎么说，我都是死得其所！……

我没有一点儿遗憾。我奋斗过，但我失败了。这对从事我们这个行业的人来说也很平常。不过，我总算是呼吸过海风了。

领略过一次海风滋味的人，永远都忘不了这种滋养。不是吗，我的同志们？这并不意味着要过冒险的生活。这种说法有点儿夸张。我一点儿也不喜欢斗牛士，我喜欢的不是危险。我知道自己喜欢什么，那就是生命。

我觉得天就要亮了。我从沙子里伸出一只胳膊。我手边有一块布片，我摸了摸，它是干的。再等一等，露水要到清晨才有。当天大亮了，而我们的衣服却一点儿也没有

---

① 〔虫豸（zhì）〕虫子。泛指虫类小动物。这里比喻碌碌无为的人。

潮湿。于是我的思绪有点儿乱，我听见自己说："这里有一颗干枯的心……一颗干枯的心……一颗干枯得挤不出一滴眼泪的心……"

"上路吧，普雷沃！我们的喉咙还没有噎住：我们应该继续走下去。"

研讨与练习

一　阅读课文，找出其中表达作者心情的句子，分析这些句子分别表达了作者怎样的情绪（比如痛苦、绝望、乐观、平静等），从中梳理出作者的心理变化过程。

二　结合上下文，品味下列语句的含义。

1. 我的血液因缺水而循环不畅，寒气逼人，但这不只是夜晚的寒冷。

2. 寒风就像平原上的骑兵向我直冲过来，我只好团团转以躲避它的来犯。

3. 我们期待黎明就像农人期待春天，我们期待中途站就像期待一片福地，我们在群星中寻找自己的真理。

4. 我没有一点儿遗憾。我奋斗过，但我失败了。这对从事我们这个行业的人来说也很平常。不过，我总算是呼吸过海风了。

三　课文揭示了一种新的"冒险"的意义。阅读下面作者在《人类的大地》其他章节中的几段话，联系课文写作背景和你的日常生活，讨论：你是如何理解"冒险"的意义的？

　　我提到了几个人，他们属于那些似乎服从了一种崇高的使命，选择了沙漠或航空的人……

　　有人会把这种人和斗牛士、拳击手混为一谈，吹捧他们对死亡的轻蔑。但我却嘲笑对死亡的轻蔑。如果这种轻蔑不是出于公认的责任感，那他就是意志消沉或年少冲动的表现……

　　他的伟大，在于他有责任感……他手中掌握着他们的痛苦和欢乐，对他也应参与的人类崭新的建设事业负责。在他的工作范围以内，也对人类的命运尽一点点责任。

读一读 写一写

硌　喧　辐射　筛糠　遮蔽　幻影　疲倦　协奏
躯壳　脐带　犁铧　真谛　卷土重来　芸芸众生
死得其所

㉓ 登上地球之巅[①]

郭超人

珠穆朗玛峰是地球上的最高峰，其北坡被许多登山家认为"连飞鸟也无法越过"，是一条"充满死亡的路线"。1960 年 5 月，年轻的中国登山队员从北坡攀缘而上，踏过千年冰雪，翻过万丈峭壁，把鲜艳的五星红旗插上了地球之巅。本文生动地记述了登山队员们突击顶峰的过程。阅读时注意感受队员们不怕艰险、勇往直前的气概。

5 月 24 日清晨，阳光灿烂，珠穆朗玛尖锥形的顶峰耸立在蓝天之上，朵朵白云在山岭间缭绕不散。

北京时间上午 9 时 30 分，年轻的登山队员——运动健将王富洲、刘连满、屈银华和一级运动员贡布（藏族）四人，背着高山背包，扶着冰镐，开始向珠穆朗玛顶峰最后

[①] 节选自《红旗插上珠穆朗玛峰》（《新华社优秀新闻作品选集·体育新闻选 1949—1999》，新华出版社 1999 年版）。有删节。郭超人（1934—2000），湖北武穴人，中国著名新闻工作者，曾任新华社社长。

的 300 多米高度冲击。其他队员们撤回到 8 100 米的营地，养精蓄锐，以便在需要的时候为突击顶峰的队员提供各种支援。

　　现在，在这海拔 8 500 米以上的冰雪世界里，这四位优秀的中国登山队员在一根红色的结组绳的牵引下，齐心协力，朝着云雾茫茫的珠穆朗玛峰巅勇敢地迈进。为了尽可能减轻背上的负担，他们一两一两地计算，抛弃了一切暂时不用的物品，只携带氧气筒、防寒睡袋、铅笔、日记本、电影摄影机和登山队委托他们带到顶峰的一面五星红旗、一尊高约 20 厘米的毛泽东半身石膏像。即使如此，他们前进的速度也是非常慢的。因为从 5 月 17 日上山以来，他们已经经历了一个星期的艰苦行军，体力消耗巨大。

　　突击顶峰的队员们走了大约两个钟头，才上升了约 70 米。这时，"第二台阶"挡住了他们的去路。

　　突击队员们沿着第三次行军侦察的路线，冒着零下 30 多摄氏度的严寒，在陡滑的岩壁上登攀，他们穿着特制的镶有钢爪的高山靴也难踩稳。在前面开路的屈银华，一连滑倒好几次。他头昏眼花，腰酸背痛，两腿千斤重，但他仍咬着牙坚持前进。

　　在接近"第二台阶"顶部最后三米的地方，岩壁变得垂直而光滑。这时，刘连满走在前面开路。他用双手插进岩缝，脚尖蹬着岩面，使出全身力量一寸一寸地上升。但是，由于体力不济，身体稍微一歪，便扑通一下跌落到原来的地方。刘连满一连爬了四次，跌落四次，累得他全身像散了架一样。

大家不得不停下来想办法。这时，刘连满突然想起自己在哈尔滨当消防队员期间，采用"人梯"的办法成功地翻过高墙的经历。他毅然蹲到岩壁前，让别人踩在他的肩膀上，然后慢慢地站起来，让别人的双手能抓住岩壁顶端的支撑点攀登上去。在这样的高度上，做任何一个细小的动作，身体都有严重的反应。刘连满的眼前冒着"金花"，两脚颤抖，呼吸也变得沉重。但是，刘连满一直坚持着。他先把屈银华托了上去，然后又托贡布。最后，王富洲和刘连满借着上边放下来的绳子的帮助，也爬了上去。

登上"第二台阶"的岩顶后，他们才发觉，由于体力减弱，他们攀登整个"第二台阶"，共花费了五个多小时，而用在攀登这最后三米岩壁的时间，却长达三个小时。

大色开始黑下来，寒风凄厉地呼啸着。

他们事先以为天黑以前就能登上顶峰，现在看来，这种估计显然错误。黑夜，即将成为他们前进道路上的第二道难关。在这人类从未到达过的珠穆朗玛峰北坡最后二三百米的路途中，他们将要遇到什么困难，要走多长时间，事先确实很难精确估计。

勇敢的突击队员们还在一步一步地前进。但是，由于前一阶段花费的时间过长，他们背上的氧气筒的气压表显示，氧气的容量已经不多。继续前进，可能受到缺氧的严重威胁。这时，刘连满因为过度疲劳，体力已经非常衰弱，每走一两步就会不自觉地摔倒，但他缓慢地站起来，仍然一偏一倒地坚持继续往前走着。

　　在身体虚弱和严重缺氧的情况下，还要摸黑进行高山行军，这不仅极其困难，而且相当危险。现在，他们每移动一步，肉体要承受多么巨大的痛苦啊！英国"埃非勒士委员会①"的组织者扬赫斯班在《埃非勒士峰探险记》一书中曾这样写道："人类身体在任何地方所受的痛苦，未有甚于一个埃非勒士峰攀登者在登山的最后一天所忍受的。……即使有完美的体格，旺盛的精力，假如他的勇气不足忍受砭骨②的大风雪，神经不敢履践③崔巍④悬岩的边沿，意志不能在死一样的昏睡病侵袭时奋勇前进，他仍将不能到达顶峰。"对于扬赫斯班的同事们来说，他的这番话确实颇有道理。然而，对于坚强的中国登山队员们来说，有什么样的困难和危险能滞留和阻挡他们前进的脚步呢？为了祖国和民族的荣誉，为了完成人民的委托，为了在喜马拉雅漫长的雨季到来之前最后一个好天气的周期内登上顶峰，四位勇士仍然勇往直前，继续行进在崎岖的山路上。

　　考虑到刘连满的身体，同时为了争取时间，大家一致

---

　　①〔埃非勒士委员会〕1921年在英国成立的旨在探索珠穆朗玛峰奥秘的一个组织。埃非勒士本为19世纪中期由英国控制的印度测量局的一位局长的名字，因"发现"了珠穆朗玛峰的存在，便用"埃非勒士"来"命名"这座世界最高峰。　②〔砭(biān)骨〕刺入骨髓，形容使人感觉非常冷或疼痛非常剧烈。　③〔履践〕踩踏。　④〔崔巍(cuīwēi)〕形容山高大雄伟。

决定刘连满留下来，其余三人以最快的速度奔向顶峰。

在王富洲、屈银华和贡布迎着夜幕继续向顶峰进发的同时，刘连满正躺在一块避风的大石头旁边休息。严重缺氧使他的两耳嗡嗡发响，眼前白一阵黑一阵地迸散着"金星"，他开始进入一种半昏迷的状态。他的心里非常明白，他正在被人们称为"死亡地带"的高度上，窒息的危险随时都可能发生。他拉过身旁的氧气筒，气压表上的红针表明还剩下最后几十个压力的氧气。但是，他的眼前出现了正在向顶峰冲击的战友们的背影。他知道他的战友们从顶峰胜利归来时，将比他更需要氧气的支援。他决定，宁愿自己忍受窒息的痛苦甚至死亡的威胁，也要把最后一点氧气留给战友。他毅然把氧气筒放回原来的地方，自己昏昏睡去……

时间在一分一秒地过去。昏睡中的刘连满感到四肢在严寒中愈来愈麻木，心脏在缺氧的状况下跳动得愈来愈急促，他清楚地意识到死神正在一步步向他扑来。刘连满多么想活下去啊！他从来没有像此刻这样强烈地感到，他应当想尽一切办法活下去。活着就是幸福，就是胜利，就是一切。然而他更加深刻地感到，三位正在同顶峰搏斗的战友比起他来更应当活下去，因为他们正肩负着一项多么光荣而又艰巨的使命啊！他们的安全，对于他来说是更大的幸福和更大的胜利……他担心自己在昏迷中停止了呼吸，战友们不知道他的氧气筒里还保存着氧气，他又挣扎着坐起来，用铅笔在日记本上给战友们留下了一封短信①。

王富洲同志：

　　我没有完成党和祖国交给我的艰巨任务。任务交给你们三个人去完成吧！我这氧气筒里还有点氧，留给你们三个人胜利回来时用吧！也许管用。

你们的同志　刘连满

与此同时，王富洲、屈银华和贡布，正在苍茫的夜色中步履艰难地向前移动着。脚下的雪坡变得愈来愈陡，也愈来愈滑。他们翻过两座石岩以后，又登上了一座雪坡。藏族队员贡布在前面开路，不到几分钟就累得连腰也直不起来。于是，屈银华上前开路，他经过很长时间才前进了两三步，但两腿一软，又滑回到原来的地方。最后，王富洲走到前面，他坚持为大家开出一条前进的道路。

夜色浓重，珠穆朗玛峰山岭间朦胧一片，只有顶峰还露出隐约的轮廓。王富洲、屈银华和贡布三人匍匐在地上，依靠着星光和反照的雪光辨认路途，每前进一步都要付出巨大努力。

夜更深沉，山上山下到处是一片漆黑，只有点点星光在空中闪耀。珠穆朗玛顶峰的黑影在他们面前开始变得非常低矮了。

---

①〔留下了一封短信〕刘连满后来以坚强的意志和对胜利铁一样的信心，战胜了死神，顽强地活了下来，并与三位胜利归来的战友会合了。

　　到达8 830米左右的地方，王富洲、屈银华和贡布三人的氧气已经全部用完。但这时风也渐渐变小了，这对攀上顶峰十分有利。他们站在岩坡上沉默了片刻。王富洲首先开口说："同志们，我们三个人现在担负着攻克主峰的任务。氧气没有了，继续前进虽然可能发生危险，但是我们能后退吗？"

　　屈银华和贡布用斩钉截铁的语气异口同声地回答："继续前进！"

　　他们抛掉背上的空氧气筒，大胆而果断地开始了人类历史上从未有过的艰难而危险的攀登。

现在，他们每跨越一步，就不得不停下来休息很长的时间。高山严重缺氧，他们感到眼花、气喘、无力。他们的四肢更加沉重了，他们的行动更加迟缓了，甚至攀过一米高的岩石，也需要半个多小时。他们忍受着肉体上的巨大痛苦，互相帮助，互相鼓励，继续朝顶峰走去。

越过东面一段雪坡以后，王富洲、屈银华和贡布向右绕至北面的岩石坡继续向上攀登，终于登上了一个岩石和积雪交界的地方。举目四望，朦胧的夜色中，珠穆朗玛山区群峰的座座黑影，都匍匐在他们的脚下。现在，他们三人的头顶上，只有闪闪发光的星斗，再也找不到任何可以攀登的山岩了。他们终于登上了珠穆朗玛峰的顶峰，完成了人类历史上从北路攀上世界最高峰的创举。

研讨与练习

一　阅读课文，概述几名登山队员突击主峰的经过。

二　下面是课文中描写景物的句子，注意观察夜色，试着仿写几句。

1. 5月24日清晨，阳光灿烂，珠穆朗玛尖锥形的顶峰耸立在蓝天之上，朵朵白云在山岭间缭绕不散。

2. 夜色浓重，珠穆朗玛峰山岭间朦胧一片，只有顶峰还露出隐约的轮廓。

3. 夜更深沉，山上山下到处是一片漆黑，只有点点星光在空中闪耀。珠穆朗玛顶峰的黑影在他们面前开始变得非常低矮了。

4. 举目四望，朦胧的夜色中，珠穆朗玛山区群峰的座座黑影，都匍匐在他们的脚下。现在，他们三人的头顶上，只有闪闪发光的星斗……

三　探险，需要有强烈的集体主义观念和崇高的献身精神。以前文的劳伦斯·奥茨和本文的刘连满等队员为例，写一则心得笔记。

读一读　写一写

砭骨　履践　崔巍　养精蓄锐　齐心协力　头昏眼花
腰酸背痛　勇往直前

24 真正的英雄①

里　根

> 　　1986 年 1 月 28 日，美国"挑战者"号航天飞机在第 10 次发射升空后，突然发生爆炸，舱内七名宇航员（其中包括一名女教师）全部遇难。面对这场突如其来的悲剧，美国陷入一片悲哀之中，世界也为之震惊。1 月 31 日，时任美国总统的里根发表了这篇电视讲话。声情并茂地朗读这篇悼词，把握其中表达的思想感情。

　　今天，我们聚集在一起，沉痛地哀悼我们失去的七位勇敢的公民，共同分担内心的悲痛，或许在相互间的安慰中，我们能够得到承受痛苦的力量并坚定追求理想的信念。

　　对家庭、朋友及我们的太空宇航员所爱着的人们来

---

① 选自《世界名人演说经典》（辽宁人民出版社 1995 年版）。张天伟译。有改动。里根（1911—2004），美国第 40 任总统（1981—1989）。

讲，国家的损失首先是他们个人的巨大损失。对那些失去亲人的父亲、母亲、丈夫和妻子们，对那些兄弟、姐妹，尤其是孩子们，在你们悲痛哀悼的日子里，所有的美国人都和你们紧紧地站在一起。

我们今天所说的远远不够表达我们内心的真实情感，言语在我们的不幸面前显得如此软弱无力：它们根本无法寄托我们对你们深深爱着的、同时也是我们所敬佩的英勇献身的人们的哀思。

英雄之所以称之为英雄，并不在于我们颂赞的语言，而在于他们始终以高度的事业心、自尊心和锲而不舍地对神奇而美妙的宇宙进行探索的责任感，去实践真正的生活以至献出生命。我们所能尽力做到的就是记住我们的七位宇航员——七位"挑战者"，记住他们活着的时候给熟悉他们的人们带来的生机、爱和欢乐，给祖国带来的骄傲。

他们来自这个伟大国家的四面八方——从南加利福尼亚州到华盛顿州，从俄亥俄到纽约州的莫霍克，从夏威夷到北卡罗来纳和纽约州的布法洛。他们彼此很不相同，但他们每个人的追求和肩负的使命却又是那样的一致。

我们记得迪克·司各比，我们从升空的"挑战者"号听到的最后一句话就来自这位机长之口。在参加太空计划之前，他曾是一名战斗机飞行员，后来成为一名高空飞行器的试验飞行员。对机长司各比来说，危险从来就是一位熟悉的伙伴。

我们记得迈克·史密斯，作为战斗机飞行员获得过的奖章戴满了胸前，其中包括海军特级飞行十字勋章和来自一个国家的敢斗银星十字勋章。

我们还记得被朋友们称为 J. R. 的朱蒂丝·莱恩尼科，她总是对人们微笑着，总是迫不及待地想对人民有所贡献。在工作之余，她喜欢在钢琴上弹奏几曲，从中获得美的享受。

我们也不会忘记孩提时总爱光着脚板在咖啡地和夏威夷的麦卡达美亚墓地跑来跑去的埃里森·奥尼佐卡，他早就梦想有一天去月球旅行。他告诉人们，多亏成为一名飞行员，他才能够建树他的生涯中那些令人难忘的业绩。

还有那个曾告诉人们是南加州的棉田锤炼了他坚毅性格的罗纳德·麦克耐尔。他梦想着到外层空间站去生活，在失重的太空中做试验：吹奏萨克管。啊，让（罗纳德的爱称），我们将永远怀念你的萨克管，我们将要建成你所梦想的空间站。

我们记得格里高利·杰维斯，在那次致命的飞行中，他随身带着他的母校布法洛纽约州立大学的一面旗子。他说，这是一份小小的纪念品，纪念那些曾为他指点过未来的人们。

我们还记得凝聚了整个国家想象力的科里斯塔·麦考利芙，她用她的勇气和永不停息的探索精神激励我们。她是一位教师，不仅是她的学生们的教师，而且是全国人民的教师，她以这次太空飞行作为激励我们向未来冲击的教例，孜孜不倦地讲述给我们。

我们将永远记住他们，这些杰出的专家、科学家、冒险家，这些艺术家、教师和家庭中的男女成员们。我们将珍爱他们每个人的故事，这是诉说胜利和勇敢的故事，这是真正的美国英雄的故事。

就在灾难发生的那天，我们所有美国人都关切地守候在电视机前，彻夜不眠。在那个不幸的时刻，我们的兴奋变成了战栗。我们等待着，注视着，想弄清所发生的一切。那天夜里我收听了广播电台的采访节目。老老少少都在诉说自己的悲哀，都为我们的宇航员感到骄傲。阴霾①笼罩着整个国家，我们走出家门，手拉着手，互相安慰。

你们所热爱的人们的牺牲轰动了整个国家。在痛苦中我们认识到了一个意义深远的道理：未来的道路并不平坦，整个人类前进的历史是与一切艰难险阻斗争的历史。我们又一次认识到，我们的美国是在英雄主义和崇高献身精神的基础上建立起来的，它是由像我们的七位宇航员那样的男人和女人，那些把全社会的责任作为自己责任的人，那些给予人民比人民期望和要求的更多的人，那些为人类做出贡献而从不企求些微报答的人建立起来的。

我们不禁回想起一个世纪前的开拓者们，那些带着家眷和财产去开发荒凉的美国西部的刚毅不屈的人们，他们常常面临着恶劣的条件，沿着俄勒冈小道，你们仍能看见

---

① 〔阴霾(mái)〕空气中因悬浮着大量的烟、尘等微粒而形成的混浊现象。这里指一种压抑、沉闷的气氛。

那些倒下去的拓荒者的墓碑。但是悲痛只能使他们更加坚定开拓前进的决心。

今天的荒漠就是太空和人类知识没有达到的疆域。有时，我们会感到想达到外星球还力不从心。但我们必须重新振作起来，忍受着磨难，不断前进。我们的国家的确非常幸运，因为我们依然保持着巨大的勇气、令人信赖的声誉和刚毅不屈的品质，我们仍然有像"挑战者"号上七位宇航员那样的英雄。

迪克·司各比知道，每一次太空飞行器的发射都是一个技术上的奇迹。他说："如果出现什么，它决不意味着太空计划的结束。"我所接触的每一位英雄的家庭成员，都特别请求我们一定要继续这项计划，这是他们失去的可爱的亲人所梦求实现的计划。我们决不会使他们失望。

今天，我们向迪克·司各比和他的伙伴们保证，他们的梦想决没有破灭，他们努力为之奋斗的理想一定会成为现实。为国家航空和宇宙航行局献身工作的人们，他们的大家庭中失去了七位成员，他们仍要继续工作去实现既安全可行又冒险、大胆的更有效的太空计划。人类将继续向太空进军，不断确立新的目标，不断取得新的成就。这正是我们纪念"挑战者"号上七位英雄的最好方式。

迪克、迈克、朱蒂丝、埃里森、罗纳德、格里高利和科里斯塔，你们的家庭及你们的国家哀悼你们的逝去。安息吧，我们永远忘不了你们。对熟悉和爱你们的人们来说，痛苦的打击是沉重的、持久的；对一个国家来说，她的七位儿女、七位好友的离去是难以弥补的损失。我们所能找到的唯一安慰是，我们在心里知道飞得那样高那样自豪的你们，现在在星际之外找到了上帝许诺以不朽生命的归宿。

愿上帝在这个艰难的时刻保佑大家并给你们安慰。

研讨与练习

一　朗读课文，画出让你感动的句子，并说说这篇文章动人心魄的力量来自哪里。

二　调动你的知识储备，联系生活，谈谈你对下列句子的理解。

    1. 英雄之所以称之为英雄，并不在于我们颂赞的语言，而在于他们始终以高度的事业心、自尊心和锲而不舍地对神奇而美妙的宇宙进行探索的责任感，去实践真正的生活以至献出生命。

    2. 在痛苦中我们认识到了一个意义深远的道理：未来的道路并不平坦，整个人类前进的历史是与一切艰难险阻斗争的历史。

    3. 我们所能找到的唯一安慰是，我们在心里知道飞得那样高那样自豪的你们，现在在星际之外找到了上帝许诺以不朽生命的归宿。

三△上图书馆或利用互联网查找资料，了解"挑战者"号航天飞机失事的一些情况，与同学展开交流。

读一读 写一写

建树　阴霾　疆域　迫不及待　孜孜不倦　刚毅不屈

学习快读

快速阅读，快速理解，快速记忆，这是一种高效率的读书方法。

加快阅读，不一定影响对读物内容的理解。阅读一个字，并不需要对字的一笔一画都看清楚，而只要凭整体形象就能辨认；对于句子和段落也是一样，只要其中关键的词语和句子映入大脑，就能凭语感和经验把握它们的整体意思。

快速阅读法要掌握哪些要领呢？

第一，必须是默读，不要朗读。力戒倒回去重读。

第二，根据阅读的目的和材料调整速度。

第三，采取抓内容要点，抓关键字、词、句、段的读法。

第四，多积累词语和句子。

第五，经常练习，养成习惯，逐步加速。

25 短文两篇

　　有谁曾与太阳赛跑！为什么日月星辰都朝西北移动，滔滔江河尽朝东南流去？下面两篇神话故事记载着远古人民丰富的想象，其中所体现的先民的英雄气概值得我们思索。

夸父逐日① 《山海经》

　　夸父与日逐走②，入日③；渴，欲得饮，饮于河、渭④；河、渭不足，北饮大泽⑤。未至，道渴而死⑥。弃其杖，化为邓林⑦。

---

　　① 选自《山海经·海外北经》(《四部丛刊》本)。夸父，古代神话人物。逐日，追赶太阳。　　②〔逐走〕竞跑，赛跑。　　③〔入日〕追赶到太阳落下的地方。　　④〔河、渭〕即黄河、渭水。　　⑤〔大泽〕大湖。传说其大纵横千里，在雁门山北。　　⑥〔道渴而死〕在半路因口渴而死。　　⑦〔邓林〕地名，在现在大别山附近河南、湖北、安徽三省交界处。邓林即"桃林"。

共工怒触不周山① 《淮南子》

昔者②，共工与颛顼③争为帝，怒而触不周之山，天柱折，地维绝④。天倾西北，故日月星辰移焉；地不满东南，故水潦⑤尘埃⑥归焉。

研讨与练习

一　背诵《夸父逐日》，说说你对夸父这一神话人物的认识。

二　背诵《共工怒触不周山》，发挥想象，描述"共工与颛顼争为帝"的战争场景。

三　翻译下列句子，填出句中省略的词语，注意加点的词的意思。

　1. 夸父与日逐走，入日；渴，欲得饮，饮于河、渭；河、渭不足，北饮大泽。

　2. 昔者，共工与颛顼争为帝，（　　　）怒而触不周之山，天柱折，地维绝。

---

① 选自《淮南子集释》（中华书局 1998 年版）。《淮南子》又名《淮南鸿烈》，是西汉淮南王刘安及其门客集体撰写的一部著作。共工，传说中的部落领袖，炎帝的后裔。触，碰、撞。不周山，山名，传说在昆仑西北，《山海经·大荒西经》载："大荒之隅，有山而不合，名曰不周。"
② 〔昔者〕从前。　　③ 〔颛顼(zhuānxū)〕传说中的五帝之一，黄帝的后裔。　　④ 〔天柱折，地维绝〕支撑天的柱子折了，系挂地的绳子断了。古人认为天圆地方，天有八根柱子支撑，地的四角有大绳系挂。维，绳子。绝，断。　　⑤ 〔水潦(lǎo)〕泛指江湖流水。潦，积水。
⑥ 〔尘埃〕尘土，这里指泥沙。

写作

勤于修改

写作导引

　　郭沫若的历史剧《屈原》上演后，大获成功。可是，他在台下看演出时，总觉得第五幕里婵娟斥责宋玉的一句台词"你是没有骨气的文人"力量不够，没有把戏中人物的情绪充分表达出来。于是，他将这句话加上"无耻的"三个字，改为"你是没有骨气的无耻的文人"，还是觉得不"够味"。后来，演员张逸生建议郭沫若将这句话里的"是"改为"这"，顿时令他拍手称妙。后来，他不仅将这句话改定为"你这没有骨气的无耻的文人"，还特意写了一篇文章，将张逸生称作自己的"一字之师"。俄国作家列夫·托尔斯泰写小说，也经常反复修改，像《复活》里女主人公的肖像描写，甚至修改了二十多遍。我们写作文，应该向这些大作家们学习，勤于修改，精益求精。

　　找出你近期写的一两篇作文，仔细读一读，看看是否存在下列类似的问题。

　　一、语言表达有误

　　1.错别字或粗心导致的各种笔误。如将"棘手"写成"辣手"，"克服"写成"刻服"等。

2.用词不当。

可是现在，母亲的手不再白皙嫩滑，不再纤纤如玉。我责怪自己：我是多么狠毒地吞噬着母亲啊！

作者想表达自责的心情，可是"狠毒""吞噬"用词太重，用词不当。

沿着阴森森的柏油路，我们一路快乐地骑行。

"阴森森"与这里的语境明显不合。

3.病句。我们之前学习过如何修改病句，看看你的作文中，会不会有类似的病句出现。例如：

通过老师的教育，使我明白了学习的重要性。

成分残缺，缺少主语。"通过……使……"掩盖了主语。

她想了半天，拿不定主意，最后决定到离她家不远的王阿姨家去，让她陪她一同回家。

"她"指代不明。到底是谁陪谁呢？从本意看应该是"王阿姨陪她"。

我国有世界上所没有的万里长城。

前后矛盾，既然是世界上所没有，为何我国又有呢？

如何发现作文中存在的语言表达上的问题呢？有效的办法是自己读一读，也可以请同学读给自己听。一般来说，听起来顺口入耳的多半是好的，反之则不好，就需要做出修改。

二、作文内容单薄，读起来干巴巴的，难以打动人。比如记叙文，如果只是平铺直叙，粗线条勾勒，自然不能出彩。应当考虑补充一些细节描写，如描写人物的动作、语言、表情、心理等；或者增添新的描写角度，如写了视觉，还可以从嗅觉、听觉等方面加以描写，以增加描写对象的立体感；还可以运用一些修辞手法，如比喻、拟人等，使文章更加生动形象。

　　三、"枝大于干"。写作文时，我们容易对自己熟悉的事物写得更投入、更详细，等到写完才发现，某些不该过多展开描述的却写得太详细了，就像是树枝长得比树干还粗壮。怎么办？这时就必须进行删减或精简，否则就犯了详略不当、中心不突出的毛病。

写作练习

　　一　《夸父逐日》这篇课文短小精练，叙述了夸父逐日的主要经过和结果。不过，关于这个故事，你是不是还觉得有点儿意犹未尽？发挥你的想象力，展开合理联想与想象，用现代汉语扩写这个故事，使其内容更加丰富，人物形象更加丰满。不少于400字。

　　【提示】

　　1. 扩写可以主要从两方面入手：一是补充故事情节，如夸父为什么逐日，逐日过程中的其他故事，逐日失败后又发生了什么……二是加强细节描写，如夸父逐日时的心理活动、旁观者的反应，等等。

　　2. 想象的内容要合情合理，符合人物的个性特征和时代特点。

　　二　从你近期的作文中选出一篇，认真读一读，自己先看看存在哪些问题。然后4或5人分成一个小组，讨论一下该如何进行修改，确定修改思路。

三　将前一题中已经确定了的修改思路付诸行动，动笔修改作文，修改后誊抄一遍，对比看看较之前有哪些进步。

【提示】

1. 可以先进行整体修改，如调整文章中心，选择更合适的素材，加强前后连贯等；再修改细节，如改正错别字，通顺语句等。

2. 在原稿上进行修改时，注意使用正确的修改符号。

第六单元

　　动物是人类的生存伙伴，有了它，世界才如此丰富多彩、生趣盎然。在今天这个日益拥挤的地球村里，动物与人应该享有同样的生存空间。这个单元的五篇课文都是写动物的佳作。阅读这些文章，不但可以激发关爱动物、善待生命的情感，还可以引发对人与动物关系的深入思考。

　　学习这个单元，要在理解课文内容的基础上，调动已有的知识储备，结合自己的生活体验，大胆地发表自己的见解，做到观点明确，言之有理。

阅读

 猫[①]

郑振铎

> 猫，因为它的活泼乖巧而被许多人喜爱。和人一样，每只猫都会有各不相同的性格。作者的家里就曾经养过三次猫，这三次养猫的经历给他带来了不尽相同的感受，有快乐，有辛酸，有愤恨，甚至还有无尽的懊悔……

　　我家养了好几次猫，结局总是失踪或死亡。三妹是最喜欢猫的，她常在课后回家时，逗着猫玩。有一次，从隔壁要了一只新生的猫来。花白的毛，很活泼，如带着泥土的白雪球似的，常在廊前太阳光里滚来滚去。三妹常常取了一条红带，或一根绳子，在它面前来回地拖摇着，它便扑过来抢，又扑过去抢。我坐在藤椅上看着他们，可以微笑着消耗过一两个小时的光阴，那时太阳光暖暖地照着，心上感着生命的新鲜与快乐。后来这只猫不知怎的忽然消

---

① 选自《郑振铎文集》（人民文学出版社1955年版）。有改动。郑振铎（1898—1958），福建长乐人，现代作家、学者、翻译家。

瘦了，也不肯吃东西，光泽的毛也污涩①了，终日躺在厅上的椅下，不肯出来。三妹想着种种方法逗它，它都不理会。我们都很替它忧郁。三妹特地买了一个很小很小的铜铃，用红绫②带穿了，挂在它颈下，但只显得不相称，它只是毫无生意地，懒惰地，郁闷地躺着。有一天中午，我从编译所回来，三妹很难过地说道："哥哥，小猫死了！"

我心里也感着一缕的酸辛，可怜这两月来相伴的小侣！当时只得安慰着三妹道："不要紧，我再向别处要一只来给你。"

隔了几天，二妹从虹口舅舅家里回来，她道，舅舅那里有三四只小猫，很有趣，正要送给人家。三妹便怂恿③着她去要一只来。礼拜天，母亲回来了，却带了一只浑身黄色的小猫同来。这一来三妹一部分的注意，又被这只黄色小猫吸引去了。这只小猫较第一只更有趣，更活泼。它在园中乱跑，又会爬树，有时蝴蝶安详地飞过时，它也会扑过去捉。它似乎太活泼了，一点儿也不怕生人，有时由树上跃到墙上，又跑到街上，在那里晒太阳。我们都很为它提心吊胆，一天都要"小猫呢？小猫呢？"查问个好几次。每次总要寻找好一会儿，方才寻到。三妹常指它笑着骂道："你这小猫呀，要被乞丐捉去后才不会乱跑呢！"我回家吃中饭，总看见它坐在铁门外边，一见我进门，便飞

----

①〔涩(sè)〕这里是不光滑的意思。　　②〔绫〕一种丝织品。
③〔怂恿(sǒngyǒng)〕鼓动别人去做。

也似的跑进去了。饭后的娱乐，是看它在爬树。隐身在阳光隐约的绿叶中，好像在等待着要捕捉什么似的。把它抱了下来，一放手，又极快地爬上去了。过了二三个月，它会捉鼠了。有一次，居然捉到一只很肥大的鼠，自此，夜间便不再听见讨厌的吱吱声了。

某一日清晨，我起床来，披了衣下楼，没有看见小猫，在小园里找了一遍，也不见。心里便有些亡失的预警。

"三妹，小猫呢？"

她慌忙地跑下楼来，答道："我刚才也寻了一遍，没有看见。"

家里的人都忙乱地在寻找，但终于不见。

李嫂道："我一早起来开门，还见它在厅上。烧饭时，才不见了它。"

大家都不高兴，好像亡失了一个亲爱的同伴，连向来不大喜欢它的张婶也说："可惜，可惜，这样好的一只小猫。"

我心里还有一线希望，以为它偶然跑到远处去，也许会认得归途的。

午饭时，张婶诉说道："刚才遇到隔壁周家的丫头①，她说，早上看见我家的小猫在门外，被一个过路的人捉去了。"

————————

① 〔丫头〕这里指女孩子。

　　于是这个亡失证实了。三妹很不高兴地咕噜着道："他们看见了，为什么不出来阻止？他们明晓得它是我家的！"

　　我也怅然①地，愤恨地，在诅骂着那个不知名的夺去我们所爱的东西的人。

　　自此，我家好久不养猫。

　　冬天的早晨，门口蜷伏着一只很可怜的小猫。毛色是花白，但并不好看，又很瘦。它伏着不去。我们如不取来留养，至少也要为冬寒与饥饿所杀。张婶把它拾了进来，每天给它饭吃。但大家都不大喜欢它，它不活泼，也不像别的小猫之喜欢顽游，好像是具着天生的忧郁性似的，连三妹那样爱猫的，对于它也不加注意。如此的，过了几个月，它在我家仍是一只若有若无的动物。它渐渐地肥胖了，但仍不活泼。大家在廊前晒太阳闲谈时，它也常来蜷伏在母亲或三妹的足下。三妹有时也逗着它玩，但没有对于前几只小猫那样感兴趣。有一天，它因夜里冷，钻到火炉底下去，毛被烧脱好几块，更觉得难看了。

　　春天来了，它成了一只壮猫了，却仍不改它的忧郁性，也不去捉鼠，终日懒惰地伏着，吃得胖胖的。

　　这时，妻买了一对黄色的芙蓉鸟来，挂在廊前，叫得很好听。妻常常叮嘱着张婶换水，加鸟粮，洗刷笼子。那只花白猫对于这一对黄鸟，似乎也特别注意，常常跳在桌

①〔怅然〕不愉快的样子。

上，对鸟笼凝望着。

妻道："张婶，留心猫，它会吃鸟呢。"

张婶便跑来把猫捉了去。隔一会儿，它又跳上桌子对鸟笼凝望着了。

一天，我下楼时，听见张婶在叫道："鸟死了一只，一条腿被咬去了，笼板上都是血。是什么东西把它咬死的？"

我匆匆跑下去看，果然一只鸟是死了，羽毛松散着，好像它曾与它的敌人挣扎了许久。

我很愤怒，叫道："一定是猫，一定是猫！"于是立刻便去找它。

妻听见了，也匆匆地跑下来，看了死鸟，很难过，便道："不是这猫咬死的还有谁？它常常对鸟笼望着，我早就叫张婶要小心了。张婶！你为什么不小心？"

张婶默默无言，不能有什么话来辩护。

于是猫的罪状证实了。大家都去找这可厌的猫，想给它以一顿惩戒。找了半天，却没找到。我以为它真是"畏罪潜逃"了。

三妹在楼上叫道："猫在这里了。"

它躺在露台板上晒太阳，态度很安详，嘴里好像还在吃着什么。我想，它一定是在吃着这可怜的鸟的腿了，一时怒气冲天，拿起楼门旁倚着的一根木棒，追过去打了一下。它很悲楚地叫了一声"咪呜！"便逃到屋瓦上了。

我心里还愤愤地，以为惩戒得还不够快意。

隔了几天，李嫂在楼下叫道："猫，猫！又来吃鸟了。"同时我看见一只黑猫飞快地逃过露台，嘴里衔着一只黄鸟。我开始觉得我是错了！

我心里十分难过，真的，我的良心受伤了，我没有判断明白，便妄下断语，冤苦了一只不能说话辩诉的动物。想到它的无抵抗的逃避，益使我感到我的暴怒、我的虐待，都是针，刺我的良心的针！

我很想补救我的过失，但它是不能说话的，我将怎样地对它表白我的误解呢？

两个月后，我们的猫忽然死在邻家的屋脊上。我对于它的亡失，比以前的两只猫的亡失，更难过得多。

我永无改正我的过失的机会了！

自此，我家永不养猫。

1925 年 11 月 7 日于上海

研讨与练习

一　朗读课文，从来历、外形、性情和在家中的地位几个方面，说说第三只猫与前两只猫的区别。为什么"我"对于第三只猫的死比前两只猫的亡失"更难过得多"？

二　第二只猫丢失后，作者写道："自此，我家好久不养猫。"第三只猫死后，作者又写道："自此，我家永不养猫。"试着联系课文中的描写，体会这两句话中包含的思想感情有什么不同。

三　在生活中，你是否也曾经错怪过别人或被人误解呢？把事情的经过说给其他同学听听，并和同学们讨论一下：怎样才能减少彼此之间的误解？

读一读 写一写

污涩　红绫　怂恿　怅然　蜷伏　悲楚　惩戒
妄下断语

27 斑羚飞渡①

沈石溪

> 在神奇的自然界中，动物常常有一些出人意料的举动。一群生性温顺的斑羚，面临种群灭绝的时候会做出什么样的选择呢？阅读课文，用心感受伤心崖上那惨烈的一幕。作为人类的一分子，在震惊的同时，你还能想到什么？

我们狩猎队分成好几个小组，在猎狗的帮助下，把七八十只斑羚逼到戛洛山的伤心崖上。

伤心崖是戛洛山上的一座山峰，像被一把利斧从中间剖开，从山底下的流沙河抬头往上看，宛如一线天。隔河对峙的两座山峰相距约六米，两座山都是笔直的绝壁。斑羚虽有肌腱发达的四条长腿，极善跳跃，是食草类动物中的跳远冠军，但就像人跳远有极限一样，在同一水平线上，健壮的公斑羚最多只能跳出五米远，母斑羚、小斑羚

---

① 选自《和乌鸦做邻居》（江苏少年儿童出版社1997年版）。有删改。

和老斑羚只能跳四米左右，而能一跳跳过六米宽的山涧的超级斑羚还没有生出来呢。

开始，斑羚们发现自己陷入了进退维谷①的绝境，一片惊慌，胡乱蹿跳。有一只老斑羚不知是老眼昏花没测准距离，还是故意要逞能，竟退后十几步一阵快速助跑奋力起跳，想跳过六米宽的山涧，结果在离对面山峰还有一米多的空中哀咩②一声，像颗流星似的笔直坠落下去，好一会儿，悬崖下才传来扑通的落水声。

过了一会儿，斑羚群渐渐安静下来，所有的眼光集中在一只身材特别高大、毛色深棕油光水滑的公斑羚身上，似乎在等候这只公斑羚拿出使整个种群能免遭灭绝的好办法来。毫无疑问，这只公斑羚是这群斑羚的头羊，它头上的角像两把镰刀。镰刀头羊神态庄重地沿着悬崖巡视了一圈，抬头仰望雨后湛蓝的苍穹③，悲哀地咩了数声，表示自己也无能为力。

斑羚群又骚动起来。这时，被雨洗得一尘不染的天空突然出现一道彩虹，一头连着伤心崖，另一头飞越山涧，连着对面那座山峰，就像突然间架起了一座美丽的天桥。斑羚们凝望着彩虹，有一只灰黑色的母斑羚举步向彩虹走去，神情恍惚，似乎已进入了某种幻觉状态。也许，它们

---

①〔进退维谷〕无论是进还是退，都是处在困境之中。维，是。谷，穷尽，指困境。　②〔咩(miē)〕拟声词，模拟羊的叫声。　③〔苍穹〕天空。

确实因为神经高度紧张而误以为那道虚幻的彩虹是一座实实在在的桥，可以通向生的彼岸。

灰黑色母斑羚的身体已经笼罩在彩虹炫目的斑斓光带里，眼看就要一脚踩进深渊去，突然，镰刀头羊"咩——咩"发出吼叫。这叫声与我平常听到的羊叫迥然不同，没有柔和的颤音，没有甜腻的媚态，也没有绝望的叹息，音调虽然也保持了羊一贯的平和，但沉郁有力，透露出某种坚定不移的决心。

随着镰刀头羊的那声吼叫，灰黑色母斑羚如梦初醒，从悬崖边缘退了回来。

随着镰刀头羊的那声吼叫，整个斑羚群迅速分成两拨，老年斑羚为一拨，年轻斑羚为一拨。在老年斑羚队伍里，有公斑羚，也有母斑羚；在年轻斑羚队伍里，年龄参差不齐，有身强力壮的中年斑羚，有刚刚踏进成年行列的大斑羚，也有稚气未脱的小斑羚。两拨分开后，老年斑羚的数量比年轻斑羚那拨少十来只。镰刀头羊本来站在年轻斑羚那拨里，眼光在两拨斑羚间转了几个来回，悲怆①地轻咩了一声，迈着沉重的步伐走到老年斑羚那一拨去了。有几只中年公斑羚跟随着镰刀头羊，也自动从年轻斑羚那拨里走出来，进入老年斑羚的队伍。这么一来，两拨斑羚的数量大致均衡了。

就在这时，我看见，从那拨老斑羚里走出一只公斑羚

---

①〔悲怆（chuàng）〕非常悲伤。

来。公斑羚朝那拨年轻斑羚示意性地咩了一声，一只半大的斑羚应声走了出来。一老一少走到伤心崖，后退了几步，突然，半大的斑羚朝前飞奔起来，差不多同时，老斑羚也快速起跑，半大的斑羚跑到悬崖边缘，纵身一跃，朝山涧对面跳去；老斑羚紧跟在半大斑羚后面，头一钩，也从悬崖上蹿跃出去；这一老一少跳跃的时间稍分先后，跳跃的幅度也略有差异，半大斑羚角度稍高些，老斑羚角度稍低些，等于是一前一后，一高一低。我吃了一惊，怎么，自杀也要老少结成对子，一对一对去死吗？这只半大斑羚和这只老斑羚除非插上翅膀，否则绝对不可能跳到对面那座山崖上去！突然，一个我做梦都想不到的镜头出现了，老斑羚凭着娴熟①的跳跃技巧，在半大斑羚从最高点往下降落的瞬间，身体出现在半大斑羚的蹄下。老斑羚的跳跃能力显然要比半大斑羚略胜一筹②，当它的身体出现在半大斑羚蹄下时，刚好处在跳跃弧线的最高点，就像两艘宇宙飞船在空中完成了对接一样，半大斑羚的四只蹄子在老斑羚宽阔结实的背上猛蹬了一下，就像踏在一块跳板上，它在空中再度起跳，下坠的身体奇迹般地再度升高。而老斑羚就像燃料已烧完了的火箭残壳，自动脱离宇宙飞船，不，比火箭残壳更悲惨，在半大斑羚的猛力踢蹬下，它像只突然断翅的鸟笔直坠落下去。这半大斑羚的第二次跳跃力度虽然远不如第一次，高度也只有地面跳跃的一

---

①〔娴（xián）熟〕熟练。　　②〔略胜一筹〕比较起来，略微好一些。

半，但已足够跨越剩下的最后两米路程了。瞬间，只见半大斑羚轻巧地落在对面山峰上，兴奋地咩叫一声，钻到磐石后面不见了。

　　试跳成功。紧接着，一对对斑羚凌空跃起，在山涧上空画出一道道令人眼花缭乱的弧线。每一只年轻斑羚的成功飞渡，都意味着有一只老年斑羚摔得粉身碎骨。

　　山涧上空，和那道彩虹平行，又架起了一座桥，那是一座用死亡做桥墩架设起来的桥。没有拥挤，没有争夺，秩序井然，快速飞渡。我十分注意盯着那群注定要送死的老斑羚，心想，或许有个别滑头的老斑羚会从注定死亡的那拨偷偷溜到新生的那拨去，但让我震惊的是，从头至尾没有一只老斑羚调换位置。

它们心甘情愿用生命为下一代开辟一条生存的道路。

绝大部分老斑羚都用高超的跳跃技艺，帮助年轻斑羚平安地飞渡到对岸的山峰。只有一头衰老的母斑羚，在和一只小斑羚空中衔接时，大概力不从心，没能让小斑羚踩上自己的背，一老一小一起坠进深渊。

我没想到，在面临种群灭绝的关键时刻，斑羚群竟然能想出牺牲一半挽救另一半的办法来赢得种群的生存机会。我更没想到，老斑羚们会那么从容地走向死亡。

我看得目瞪口呆，所有的猎人都看得目瞪口呆，连狗也惊讶地张大嘴，伸出了长长的舌头。

最后伤心崖上只剩下那只成功地指挥了这群斑羚集体飞渡的镰刀头羊。镰刀头羊孤零零地站在山峰上，既没有年轻的斑羚需要它做空中垫脚石飞到对岸去，也没有谁来帮它飞渡。只见它迈着坚定的步伐，走向那道绚丽的彩虹。弯弯的彩虹一头连着伤心崖，一头连着对岸的山峰，像一座美丽的桥。

它走了上去，消失在一片灿烂中。

研讨与练习

一 熟读课文，完成下面两题。

  1. 文章中详细描述了第一对斑羚试跳成功的全过程，试用自己的话加以复述。

  2. 镰刀头羊是这场飞渡的组织者，文中重点写了它的哪些表现？谈谈你对镰刀头羊的印象。

二 联系上下文，品味下列句子的含义，回答括号中的问题。

  1. 山涧上空，和那道彩虹平行，又架起了一座桥，那是一座用死亡做桥墩架设起来的桥。

    （为什么说那座桥是"用死亡做桥墩"？）

  2. 我十分注意盯着那群注定要送死的老斑羚，心想，或许有个别滑头的老斑羚会从注定死亡的那拨偷偷溜到新生的那拨去，但让我震惊的是，从头至尾没有一只老斑羚调换位置。

    （"从头至尾没有一只老斑羚调换位置"一事为什么让"我"感到震惊？）

  3. 它（镰刀头羊）走了上去，消失在一片灿烂中。

    （在这句话里，"灿烂"只是指那一道弯弯的彩虹吗？）

三 动物是人类的朋友。试给狩猎队写一封信，谈谈你对这件事的看法。

读一读 写一写

肌腱　逞能　恍惚　甜腻　娴熟　进退维谷

一尘不染　略胜一筹　眼花缭乱　秩序井然

28 华南虎①

牛　汉

> 　　在桂林，诗人敏感的心没有被旖旎的漓江风光所吸引，却被动物园中一只身陷铁笼的老虎触动了。于是，华南虎刚毅的背影、凝结着鲜血的趾爪和火焰似的眼睛就深深烙印在一行行诗句里。朗读课文，想一想，诗人只是在写一只困于笼中的猛虎吗？

在桂林
小小的动物园里
我见到一只老虎。

我挤在叽叽喳喳的人群中，
隔着两道铁栅栏
向笼里的老虎
张望了许久许久，

---

① 选自《牛汉诗文集》第1卷（人民文学出版社2010年版），略有改动。

但一直没有瞧见
老虎斑斓的面孔
和火焰似的眼睛。

笼里的老虎
背对胆怯而绝望的观众，
安详地卧在一个角落，
有人用石块砸它
有人向它厉声呵斥
有人还苦苦劝诱
它都一概不理！

又长又粗的尾巴
悠悠地在拂动，
哦，老虎，笼中的老虎，
你是梦见了苍苍莽莽的山林吗？
是屈辱的心灵在抽搐①吗？
还是想用尾巴鞭打那些可怜而可笑的观众？

你的健壮的腿
直挺挺地向四方伸开，
我看见你的每个趾爪

---

① 〔抽搐（chù）〕肌肉不自觉地收缩的症状。这里指(心灵)因痛苦而颤抖。

全都是破碎的，

凝结着浓浓的鲜血！

你的趾爪

是被人捆绑着

活活地铰掉的吗？

还是由于悲愤

你用同样破碎的牙齿

（听说你的牙齿是被钢锯锯掉的）

把它们和着热血咬掉……

我看见铁笼里

灰灰的水泥墙壁上

有一道一道的血淋淋的沟壑

像闪电那般耀眼刺目！

我终于明白……

我羞愧地离开了动物园，

恍惚之中听见一声

石破天惊①的咆哮，

有一个不羁②的灵魂

①〔石破天惊〕原形容箜篌（kōnghóu）的声音，忽而高亢，忽而低沉，出人意外，有不可名状的奇境。这里用来形容声音大得惊人。　②〔不羁〕不受束缚。

掠过我的头顶

腾空而去，

我看见了火焰似的斑纹

和火焰似的眼睛，

还有巨大而破碎的滴血的趾爪！

1973 年 6 月

研讨与练习

一　朗读这首诗，探究下列问题。

　　1.诗人笔下的这只老虎具有什么样的个性？试从课文中找出
　　　有关诗句加以说明。

　　2.怎样理解本诗最后一段的意思？说说在华南虎的形象中蕴
　　　含着诗人怎样的思想感情。

二　联系上下文，品味下列诗句中加点的词语的含义。

　　1.你是梦见了苍苍莽莽的山林吗？

　　　是屈辱的心灵在抽搐吗？

　　　（华南虎的心灵为什么会感觉"屈辱"？）

　　2.还是想用尾巴鞭打那些可怜而可笑的观众？

　　　（观众为什么是"可怜而可笑"的？）

　　3.我羞愧地离开了动物园……

　　　（在华南虎面前，"我"为什么会感到"羞愧"？）

4.我看见了火焰似的斑纹

和火焰似的眼睛……

（这只是在描写华南虎斑纹和眼睛的颜色吗?）

三　朗读英国诗人布莱克《老虎》一诗，说一说，它和课文同样
是写虎，但表达的思想感情有什么不同。

老　虎

［英国］威廉·布莱克

老虎！老虎！黑夜的森林中

燃烧着的煌煌的火光，

是怎样的神手或天眼

造出了你这样的威武堂堂?

你炯炯的两眼中的火

燃烧在多远的天空或深渊?

他乘着怎样的翅膀搏击?

用怎样的手夺来火焰?

又是怎样的臂力，怎样的技巧，

把你的心脏的筋肉捏成?

当你的心脏开始搏动时，

使用怎样猛的手腕和脚胫?

是怎样的槌? 怎样的链子?

在怎样的熔炉中炼成你的脑筋?

是怎样的铁砧？怎样的铁臂？
敢于捉着这可怖的凶神？

群星投下了他们的投枪。
用它们的眼泪润湿了穹苍，
他是否微笑着欣赏他的作品？
他创造了你，也创造了羔羊？

老虎！老虎！黑夜的森林中
燃烧着的煌煌的火光，
是怎样的神手或天眼
造出了你这样的威武堂堂？

（郭沫若译）

读一读　写一写

铰　劝诱　抽搐　沟壑　不羁　叽叽喳喳　石破天惊

马①

布　封

> 　　马是人类忠诚而高贵的朋友。当你看到一匹拉着车的马喘息着默默地走过的时候，你的脑海中是否会掠过成群的野马在广漠的草原上奔腾恣肆的情景呢？现在就让我们与作者一起，去关注两种生存状态下的马的不同命运吧。

　　人类所曾做到的最高贵的征服，就是征服了这豪迈而剽悍②的动物——马：它和人分担着疆场的劳苦，同享着战斗的光荣；它和它的主人一样，具有无畏的精神，它眼看着危急当前而慷慨以赴③；它听惯了兵器搏击的声音，喜爱它，追求它，以与主人同样的兴奋鼓舞起来；它也和

---

　　① 选自《世界散文精华·欧洲卷》（江苏教育出版社1994年版）。范希衡译。有删改。布封(1707—1788)，法国博物学家、作家。他用毕生精力经营皇家花园，并用40年的时间写成36巨册的《自然史》。　　②〔剽悍(piāohàn)〕敏捷而勇猛。　　③〔慷慨以赴〕毫无私心、毫不吝惜地前往。

主人共欢乐：在射猎时，在演武时，在赛跑时，它也精神抖擞，耀武扬威。但是它驯良不亚于勇毅，它一点儿不逞自己的烈性，它知道克制它的动作：它不但在驾驭人的手下屈从着他的操纵，还仿佛窥伺①着驾驭人的颜色，它总是按照着从主人的表情方面得来的印象而奔腾，而缓步，而止步，它的一切动作都只为了满足主人的愿望。这天生就是一种舍己从人的动物，它甚至于会迎合别人的心意，它用动作的敏捷和准确来表达和执行别人的意旨，人家希望它感觉到多少它就能感觉到多少，它所表现出来的总是在恰如人愿的程度上；因为它无保留地贡献着自己，所以它不拒绝任何使命，所以它尽一切力量来为人服务，它还要超出自己的力量，甚至于舍弃生命以求服从得更好。

　　以上所述，是一匹所有才能都已获得发展的马，是天然品质被人工改进过的马，是从小就被人养育、后来又经过训练、专为供人驱使而培养出来的马。它的教育以丧失自由而开始，以接受束缚而告终。对这种动物的奴役或驯养已太普遍、太悠久了，以至于我们看到它们时，很少是处在自然状态中。它们在劳动中经常是披着鞍辔的；人家从来不解除它们的羁绊②，纵然是在休息的时候；如果人家偶尔让它们在牧场上自由地行走，它们也总是带着奴役的标志，并且还时常带着劳动与痛苦所给予的残酷痕迹：嘴巴

---

　　①〔窥伺(kuīsì)〕暗中观察情况。　　②〔羁绊〕这里是指马笼头。

被衔铁勒得变了形，腹侧留下一道道的疮痍①或被马刺刮出一条条的伤疤，蹄子也都被铁钉洞穿了。它们浑身的姿态都显得不自然，这是惯受羁绊而留下的迹象：现在即使把它们的羁绊解脱掉也是枉然，它们再也不会因此而显得自由活泼些了。就是那些奴役状况最和婉的马，那些只为着摆阔绰②、壮观瞻③而喂养着、供奉着的马，那些不是为着装饰它们本身，却是为着满足主人的虚荣而戴上黄金链条的马，它们额上覆着妍丽的一撮毛，项鬣④编成了细辫，满身盖着丝绸和锦毡，这一切之侮辱马性，较之它们脚下的蹄铁还有过之无不及。

　　天然要比人工更美丽些；在一个动物身上，动作的自由就构成美丽的天然。你们试看那些繁殖在南美各地自由自在地生活着的马匹吧：它们行走着，它们奔驰着，它们腾跃着，既不受拘束，又没有节制；它们因不受羁勒而感觉自豪，它们避免和人打照面；它们不屑于受人照顾，它们能够自己寻找适当的食料；它们在无垠的草原上自由地游荡、蹦跳，采食着四季皆春的气候不断提供的新鲜产品；它们既无一定的住所，除了晴明的天空外又别无任何庇荫⑤，因此它们呼吸着清新的空气，这种空气，比我们压缩它们应占的空间而禁闭它们的那些圆顶宫殿里的空

----

①〔疮痍(chuāngyí)〕创伤。　　②〔阔绰(chuò)〕豪华奢侈，排场大。　　③〔观瞻〕具体的形象给人的印象。　　④〔项鬣(liè)〕马脖子上的长毛。　　⑤〔庇荫(bìyìn)〕这里指遮挡阳光的树木等。

气，要纯洁得多，所以那些野马远比大多数家马来得强壮、轻捷和遒劲①。它们有大自然赋予的美质，就是说，有充沛的精力和高贵的精神，而所有的家马则都只有人工所能赋予的东西，即技巧与妍媚而已。

这种动物的天性绝不凶猛，它们只是豪迈而犷野。虽然力气在大多数动物之上，它们却从来不攻击其他动物；如果它们受到其他动物的攻击，它们并不屑于和对方搏斗，仅只把它们赶开或者把它们踏死。它们也是成群结队而行的，它们之所以聚集在一起，纯粹是为着群居之乐。因为，它们一无所畏，原不需要团结御侮，但是它们互相眷恋，依依不舍。由于草木足够作它们的食粮，由于它们有充分的东西来满足它们的食欲，又由于它们对动物的肉毫无兴趣，所以它们绝不对其他动物作战，也绝不互相作战，也不互相争夺生存资料。它们从来不发生追捕一只小兽或向同类劫夺一点东西的事件，而这类事件正是其他食肉类动物通常互争互斗的根源：所以马总是和平生活着的，其原因就是它们的欲望既平凡又简单，而且有足够的生活资源使它们无需互相妒忌②。

在所有的动物中间，马是身材高大而身体各部分又都配合得最匀称、最优美的；因为，如果我们拿它和比它高一级或低一级的动物相比，就发现驴子长得太丑，狮子头太大，牛腿太细太短，和它那粗大的身躯不相称，骆驼是

---

① 〔遒(qiú)劲〕雄健有力。　② 〔妒忌(dùjì)〕对比自己强的人心怀怨恨。

畸形的，而最大的动物，如犀，如象，都可以说只是些未成型的肉团。颚骨过分伸长本是兽类头颅不同于人类头颅的主要一点，也是所有动物的最卑贱的标志；然而，马的颚骨虽然很长，它却没有如驴的那副蠢相，如牛的那副呆相。相反地，它的头部比例整齐，却给它一种轻捷的神情，而这种神情又恰好与颈部的美相得益彰①。马一抬头，就仿佛想要超出它那四足兽的地位。在这样的高贵姿态中，它和人面对面地相觑②着。它的眼睛闪闪有光，并且目光十分坦率；它的耳朵也长得好，并且不大不小，不像牛耳太短，驴耳太长；它的鬣毛正好衬着它的头，装饰着它的颈部，给予它一种强劲而豪迈的模样；它那下垂而茂盛的尾巴覆盖着、并且美观地结束着它的身躯的末端：马尾和鹿、象等的短尾，驴、骆驼、犀牛等的秃尾都大不相同，它是密而长的鬃毛构成的，仿佛这些鬃毛就直接从屁股上生长出来，因为长出鬃毛的那个小肉桩子很短。它不能和狮子一样翘起尾巴，但是它的尾巴虽然是垂着的，却于它很适合。由于它能使尾巴两边摆动，它就有效地利用尾巴来驱赶苍蝇，这些苍蝇很使它苦恼，因为它的皮肤虽然很坚实，并且满生着厚密的短毛，却还是十分敏感的。

---

①〔相得益彰(zhāng)〕指两个人或两件事物互相配合，使二者的能力、作用、好处能得到充分展示。益，更加。彰，明显。　　②〔觑(qù)〕看。

研讨与练习

一　本文既写了人工驯养的马，又写了天然野生的马。反复阅读课文，说说这两种生存状态中的马各有什么特性，你更欣赏哪种马？为什么？

二　文章在描述马的外在特征时，用了许多其他的动物作比较。这样写有什么好处？试用同样的方法描述一个自己养过或见过的小动物。

读一读 写一写

觑　鬣　剽悍　疆场　驯良　勇毅　窥伺　迎合
疮痍　枉然　阔绰　观瞻　妍丽　庇荫　遒劲
旷野　畸形　颚骨　慷慨以赴　相得益彰
有过之无不及

③⓪ 狼①

蒲松龄

> 本文写两只狼与一个屠户之间的一场较量，文笔简练，情节曲折。狡诈的狼想吃掉屠户，却最终双双毙命于屠户刀下。这个故事所表现的狼与人的争斗，是意味深长的。

一屠②晚归，担中肉尽，止③有剩骨。途中两狼，缀行甚远④。

屠惧，投以骨⑤。一狼得骨止，一狼仍从⑥。复投之，后狼止而前狼又至。骨已尽矣，而两狼之并驱如故⑦。

---

① 选自《聊斋志异》（上海古籍出版社1986年版）卷六。蒲松龄（1640—1715），字留仙，山东淄川（今属淄博）人，清代文学家。原文共三则，这里选的是第二则。　②〔屠〕这里指屠户，即以宰杀牲畜为职业的生意人。　③〔止〕通"只"。　④〔缀（zhuì）行甚远〕紧跟着走了很远。缀，连接，这里是紧跟的意思。　⑤〔投以骨〕就是"以骨投之"。　⑥〔从〕跟从。　⑦〔两狼之并驱如故〕两只狼像原来一样一起追赶。并，一起。故，旧、原来。

屠大窘①，恐前后受其敌②。顾③野有麦场，场主积薪④其中，苫蔽成丘⑤。屠乃奔倚其下，弛⑥担持刀。狼不敢前，眈眈相向⑦。

少时⑧，一狼径去⑨，其一犬坐于前⑩。久之⑪，目似瞑⑫，意暇甚⑬。屠暴⑭起，以刀劈狼首，又数刀毙⑮

---

①〔窘(jiǒng)〕困窘，处境危急。　②〔敌〕敌对，这里是胁迫、攻击的意思。　③〔顾〕回头看，这里指往旁边看。　④〔积薪〕堆积柴草。　⑤〔苫(shàn)蔽成丘〕覆盖成小山似的。苫蔽，覆盖、遮蔽。　⑥〔弛(chí)〕放松，这里指卸下。　⑦〔眈眈(dāndān)相向〕瞪眼朝着屠户。眈眈，注视的样子。　⑧〔少(shǎo)时〕一会儿。　⑨〔径去〕径直走开。　⑩〔犬坐于前〕像狗似的蹲坐在前面。　⑪〔久之〕过了一会儿。　⑫〔瞑(míng)〕闭眼。　⑬〔意暇甚〕神情很悠闲。意，这里指神情、态度。暇，空闲。　⑭〔暴〕突然。　⑮〔毙〕杀死。

之。方欲行，转视积薪后，一狼洞其中①，意将隧②人以攻其后也。身已半入，止露尻③尾。屠自后断其股，亦毙之。乃悟前狼假寐④，盖⑤以诱敌。

狼亦黠⑥矣，而顷刻⑦两毙，禽兽之变诈几何哉⑧？止增笑耳⑨。

研讨与练习

一　熟读课文，回答下列问题。

1. 文中是怎样写狼的狡猾的?

2. 屠户的机智表现在哪些地方?

3. 作者对这件事有什么议论?

二　解释下列句中加点的词语。

1. 顾野有麦场，场主积薪其中，苫蔽成丘。

2. 一狼径去，其一犬坐于前。

3. 转视积薪后，一狼洞其中，意将隧入以攻其后也。

4. 乃悟前狼假寐，盖以诱敌。

三　展开想象，把本文改写成一篇白话故事。

---

①〔洞其中〕在其中打洞。洞，打洞。其，指柴草堆。　②〔隧〕指从柴草堆中打洞。　③〔尻(kāo)〕屁股。　④〔假寐〕假装睡觉。寐，睡觉。　⑤〔盖〕承接上文，表示原因。这里有"原来是"的意思。　⑥〔黠(xiá)〕狡猾。　⑦〔顷刻〕一会儿。　⑧〔禽兽之变诈几何哉〕禽兽的欺骗手段能有多少啊。变诈，作假、欺骗。几何，多少，这里是能有几何的意思。　⑨〔止增笑耳〕只是增加笑料罢了。

写作

描写要生动

写作导引

好的描写，就是用生动形象的语言，细致地描绘人物、动物、事件、景物等的具体状态，使人读了如亲见亲闻，如亲临其境。本次写作实践的重点是练习如何通过描写把人或动物写活，写出特点。

本单元的课文《猫》中的描写就非常细腻生动，在作者的笔下，三只猫各具形态，给人留下深刻的印象。

猫	第一只猫	花白的毛，很活泼，如带着泥土的白雪球似的，常在廊前太阳光里滚来滚去。
	第二只猫	它在园中乱跑，又会爬树，有时蝴蝶安详地飞过时，它也会扑过去捉。
	第三只猫	门口蜷伏着一只很可怜的小猫。毛色是花白，但并不好看，又很瘦。

要把人或事物描写得生动形象，让人印象深刻，可以从以下几方面着手。

首先，无论描写的对象是人、动物还是景物，都要抓住特点、突出重点，如《邓稼先》一文，就抓住了邓稼先"忠厚平实"的性格特点，写出了他的人格魅力和成功的原因。这一点，前面"写人要抓住特征"已经谈过了。不光写人要这样，写其他事物也是如此。例如《华南虎》里，虽然只写了老虎的背面，但从"凝结着浓浓的鲜血"的趾爪，从墙上带血的抓痕，作者写出了老虎的"悲愤"，也就抓住了重点。

其次，描写要从多方面来观察、描绘。如可以通过对人物的外貌、动作、语言、心理等的刻画，表现他们的性格；通过对动物的形态、动作、叫声、习性的描写，刻画它们的特点。在郑振铎的笔下，三只猫的不同就是通过毛色、动作、习性、命运等的不同描写来凸显的，令人难忘。

此外，还可以借助多种手法，如比喻、拟人、夸张、对比等，使描写更加生动形象。例如布封的《马》，就运用了对比的手法，将马与其他动物相比较，突出了马的崇高和美。

写作实践

一 家中的相册里，总有一些老照片。这些老照片，往往记录着你生活的点点滴滴。选取其中你最难忘的一张或一组，写一个片段，200字左右，向同学们描述一下这张（组）老照片。

【提示】

1. 可以从多个方面介绍照片，如照片中人物的表情、动作、模样，还可以描写照片的背景、色彩、里面的自然风光等。

2. 要抓住人物或者景物的特点进行描写。

二　在描写的基础上，回忆一下：这张（组）老照片是什么时候、与什么人一起拍的？在它的背后是否记录着一些难忘的人与事？试以《老照片的故事》为题，写一篇作文，不少于500字。

【提示】

1. 在描写照片静态内容的基础上，还要深入挖掘照片背后的故事，还原当时的人物、事件、场面等。

2. 照片背后的故事可以向家人询问，增进对家庭的了解。

3. 尝试运用一些学过的描写手法。

二　你是否养过动物？它们给你留下了怎样的记忆？试以"动物"为话题，自拟题目，写一篇作文，不少于500字。

【提示】

1. 可以学习课文《猫》的写法，将你与动物的故事记述下来，力求写出这个动物的特点和你的情感。

2. 观察动物的特点，抓住特点来写。

3. 注意筛选材料，突出重点，避免面面俱到。

综合性学习

马的世界

　　"人类所曾做到的最高贵的征服，就是征服了这豪迈而剽悍的动物——马。"马和人类同生死，共荣辱，经历了数千年的风风雨雨，成为我们忠诚的朋友。在现代社会生活中，尽管马的作用越来越小，但是我们不该淡忘这个曾在人类历史上发挥过重要作用的伙伴。现在，就让我们通过这次综合性学习，走进这个陌生而又亲切的马的世界吧。

一、汉语汉字中的马

　　1. 文字是人类认识世界的见证。早在商代的甲骨文中就有了象形字"马"。请你欣赏从古至今"马"字的不同写法，了解它的演变过程。如有条件，再查找一下我国古代"马"字的其他写法。

早期甲骨文　晚期甲骨文　大篆　　金文　　小篆　隶书　楷书

2. 汉字里有许多以"马"为偏旁的字，如骑、骐、骄、骗、验，你还能再举出一些这样的例子吗？借助工具书，了解这些字与马的关系。

3. 汉语中含"马"字的成语非常多，请你至少写出10个，解释每个成语的意思，并分别用它们造句。

4. 在汉语或其他语言中，常有一些与马有关的俗语。试着搜集几个，与同学交流。

二、历史传说中的马

无论是在日常生活中，还是在军事活动中，马都起到过重要作用。我国古代涌现过许多与马有关的历史人物，流传着许多与马有关的历史故事，比如，王亥驯马、九方皋相马、赵高指鹿为马、燕昭王以千金买千里马骨、田忌赛马等。搜集这方面的资料，并把这些故事绘声绘色地讲给其他同学听。

九方皋（徐悲鸿）

☆讨论（从以下两个话题中任选一个）

1. 随着生产力的发展、科技水平的提高，装甲车取代了骑兵出现在现代战争中，汽车、飞机取代了马匹成为快捷的交通工具。马在现实生活中所起的作用越来越小。你认为，这种为人类服务了数千年的动物，它的未来命运会是怎样的？

2. 千里马和伯乐的关系一直是人们关注的话题。有人认为，"世有伯乐，然后有千里马，千里马常有，而伯乐不常有"（韩愈《马说》），在二者的关系中伯乐起决定作用；也有人认为，只要是千里马而不是驽马，无论是否有伯乐，它在任何地方都会显示出卓越的才能。你同意哪种观点？说说理由。

三、艺术作品中的马

在几千年人与马的交往中，马为人做出了巨大贡献，人对马也倾注了许多真挚的情感。人们在纸上画马，在戏中演马，在石上刻马……请将全班同学分为若干小组，从书法、音乐、戏曲表演、摄影作品、雕刻、绘画等方面搜集关于马的资料，还可以自己动手写马、画马、拍摄马，然后由每组各办一期以"马"为主题的墙报。题目自拟，要图文并茂。

四、文学作品中的马

在古今中外不同的作品中，马的形象得到了充分的展现。请你试着找一些描写马的文学作品来读一读，并在班里召开一次诗文朗诵会，借此机会领略一下马——这位人类高贵的朋友是如何为作家润笔墨、助文思的。

课外古诗词背诵

山中杂诗①

吴　均

这首诗描写诗人住在山中的有趣生活。山峰环绕，竹木茂盛，鸟在房檐上飞，最有趣的是云彩竟然从窗户里飘了出来。

山际②见来烟，
竹中窥③落日。
鸟向檐④上飞，
云从窗里出。

---

① 选自欧阳询《艺文类聚》（上海古籍出版社1982年新一版）卷三十六。吴均（469—520），字叔庠，吴兴故鄣（现在浙江安吉）人，南朝梁文学家。　②〔山际〕山与天相接的地方。　③〔窥〕从缝隙中看。　④〔檐〕房檐。

竹里馆①

王　维

　　此诗写诗人在竹林里独自弹琴、长啸、与明月相伴的情景。前二句写诗人"独坐""弹琴""长啸"等动作，后二句写夜静人寂，明月相伴。全诗人与物浑然一体，营造出优美、高雅的意境，传达出诗人宁静、淡泊的心情。

独坐幽篁②里，
弹琴复长啸③。
深林④人不知，
明月来相照⑤。

---

　　① 选自《王右丞集笺注》(上海古籍出版社1984年版)卷十三。王维（约701—约761），字摩诘，太原祁县（今属山西）人，唐代诗人。这是《辋川集》20首中的第17首。竹里馆，是辋川别墅的胜景之一。　　②〔幽篁(huáng)〕幽深的竹林。　　③〔啸(xiào)〕嘬口发出长而清脆的声音，类似于打口哨。　　④〔深林〕指"幽篁"。　　⑤〔相照〕与"独坐"相应，意思是说，独坐幽篁，无人相伴，唯有明月似解人意，偏来相照。

峨眉山月歌①

李 白

这首诗是作者于开元十三年（725）出蜀途中所作。诗中连用五个地名，构思精巧，不着痕迹。全诗意境清朗秀美，风致自然天成，为李白脍炙人口的名篇之一。

峨眉山月半轮秋②，
影入平羌③江水流。
夜发④清溪⑤向三峡，
思君不见下渝州⑥。

---

① 选自《李太白全集》（中华书局1977年版）卷八。峨眉山，在现在四川峨眉县西南。　②〔半轮秋〕半圆的秋月，即上弦月或下弦月。
③〔平羌〕即青衣江，在峨眉山东北。源出四川芦山，流经乐山汇入岷江。　④〔发〕出发。　⑤〔清溪〕即清溪驿，属四川犍为，在峨眉山附近。　⑥〔渝州〕指重庆。

春夜洛城闻笛①

李　白

　　诗人在客居洛阳的一个夜晚，听到笛子吹奏《折杨柳》曲调。"暗"中飞出的笛声，却不期然打动了春风里的听众——此时此地听到这支曲子，谁能不思念自己的家乡和亲人呢？

> 谁家玉笛②暗飞声，
> 散入春风满洛城。
> 此夜曲中闻折柳③，
> 何人不起故园④情。

---

① 选自《李太白全集》（中华书局1977年版）卷二十五。洛城，洛阳（现在河南洛阳）。　　②〔玉笛〕精美的笛。　　③〔折柳〕指《折杨柳》曲调。曲中表达了送别时的哀怨感情。　　④〔故园〕指故乡，家乡。

逢入京使①

岑　参

　　此诗作于天宝八载（749）作者赴安西②途中，表达了诗人远涉边塞的思乡怀亲之情。全诗率兴而成，而又感情真挚，用语自然本色，韵味淳厚隽永。

故园③东望路漫漫④，
双袖龙钟⑤泪不干。
马上相逢无纸笔，
凭⑥君传语⑦报平安。

---

① 选自《岑参集校注》（上海古籍出版社1981年版）卷七。入京使，回京城长安的使者。岑参（约 717—769），荆州江陵（现在湖北荆州）人，唐代诗人。曾任嘉州（现在四川乐山）刺史。　　②〔安西〕在现在新疆维吾尔自治区库车一带。　　③〔故园〕指作者在长安的家。
④〔漫漫〕形容路途遥远。　　⑤〔龙钟〕形容流泪的样子，这里是沾湿的意思。　　⑥〔凭〕托。　　⑦〔传语〕捎口信。

滁州西涧①

韦应物

　　此诗写春游滁州西涧所见到的情景。从诗人创造的涧边幽草、水急舟横的清幽意境中，传达出一种悠闲恬淡的心情。末二句以飞转流动之势，衬托闲淡宁静之景，可谓诗中有画，景中寓情。

独怜②幽草涧边生，
上有黄鹂深树鸣③。
春潮带雨晚来急，
野渡无人舟自横④。

---

　　① 选自《韦应物集校注》（上海古籍出版社1998年版）卷八。韦应物（约735—约792），京兆长安（现在陕西西安）人，唐代诗人。这首诗写于唐德宗建中二年（781）诗人出任滁州刺史期间，是山水诗中的佳作。滁州，在现在安徽滁州。西涧，在滁州城西门外。　　②〔独怜〕独爱。
③〔上有黄鹂深树鸣〕树阴深处黄莺发出诱人的叫声。黄鹂，黄莺。深树，树阴深处。　　④〔野渡无人舟自横〕郊野的渡口空无一人，只有空空的渡船自在地漂浮着。

江南逢李龟年①

杜 甫

　　杜甫早年曾在洛阳听过李龟年的演唱，如今在潭州相遇，不禁引起万千感慨，于是以此诗相赠。诗前二句言过去之盛，为下文作了铺垫；后二句写现在之衰，抒发无穷感慨。全诗并无直接抒情之语，但时世之凋敝丧乱与人生之凄凉飘零，却尽寓其中。

岐王②宅里寻常见，
崔九③堂前几度闻。
正是江南好风景，
落花时节又逢君。

---

　　① 选自《杜诗详注》（中华书局1979年版）卷二十三。江南，这里指湖南一带。杜甫和李龟年重逢是在潭州（现在湖南长沙）。李龟年，唐玄宗时著名歌手。安史之乱后，流落江南。　　②〔岐王〕唐玄宗之弟李范，封岐王。　　③〔崔九〕指殿中监崔涤，唐玄宗的宠臣。九是他的排行。

送灵澈上人①

刘长卿

　　暝色苍苍的竹林寺，晚钟阵阵，一抹斜阳下，几重青山外，远行人渐行渐远。诗人的形象隐于诗外，而淡泊的情怀自见。全诗纯为写景，恍如图画，可谓诗中有画的佳作。

　　　　苍苍②竹林寺③，
　　　　杳杳④钟声晚。
　　　　荷笠⑤带斜阳，
　　　　青山独归远。

---

① 选自《刘随州诗集》（《四部丛刊》本）卷一。灵澈上人，唐代著名僧人，本姓杨，会稽(现在浙江绍兴)人，后为云门寺僧。上人，对僧的敬称。刘长卿（约726—约786），字文房，宣城（今属安徽）人，唐代诗人。　　②〔苍苍〕深青色。　　③〔竹林寺〕在现在江苏丹徒南。④〔杳杳(yǎoyǎo)〕深远的样子。　　⑤〔荷(hè)笠〕背着斗笠。荷，背着。

约　客①

赵师秀

　　黄梅时节的夜晚，乡村池塘中传来阵阵蛙鸣。诗人约一位朋友来做客，可等到夜半也没有来。他只好一个人伴着油灯，无聊地敲着棋子。语近情遥，含而不露地表现了作者的寂寞心情。诗用对句写景，富有时令与地方特色。

黄梅时节②家家雨，
青草池塘处处蛙。
有约不来过夜半，
闲敲棋子落灯花③。

---

① 选自《清苑斋集》（《南宋群贤小集》本）。赵师秀（1170—1219），字紫芝、灵芝，号灵秀、天乐，永嘉（现在浙江温州）人，南宋诗人。
②〔黄梅时节〕夏初江南梅子黄熟的时节。　③〔灯花〕点油灯时灯芯结出的疙瘩。

论　诗①

赵　翼

　　此诗反映了作者诗歌创作贵在创新的主张。他认为诗歌随时代不断发展，诗人在创作时也应求新求变，并非只有古人的作品才是最好的，每个时代都有属于自己的诗人。

李杜②诗篇万口传，
至今已觉不新鲜。
江山代有才人出③，
各领风骚④数百年。

---

① 选自《瓯北集》（上海古籍出版社1997年版）卷二十八。《瓯北集》中以"论诗"为题的诗颇多，其中尤以五首七绝最为有名。这里所选是这组诗的第二首。赵翼（1727—1814），字云崧，号瓯北，阳湖（现在江苏常州）人，清代著名史学家、诗人，著有《廿二史札记》。　②〔李杜〕指李白、杜甫。　③〔江山代有才人出〕国家代代都有很多有才情的人。④〔风骚〕指《诗经》中的"国风"和屈原的《离骚》。后来把关于诗文写作的事叫"风骚"。这里指在文学上有成就的"才人"的崇高地位和深远影响。

名著导读

《童年》：
在苦难中长大

　　世界上许多伟大人物小时候都曾历经磨难，苏联作家高尔基就是其中的一位。你想知道他的故事吗?

　　《童年》是高尔基以自身经历为基础创作的自传体小说三部曲中的第一部(其他两部分别为《在人间》《我的大学》)。它讲述的是阿廖沙(高尔基原名阿列克谢的昵称)三岁到十岁这一时期的童年生活。小说从"我"随母亲去投奔外祖父写起，到外祖父叫"我"去"人间"混饭吃结束，生动地再现了十九世纪七八十年代俄罗斯下层人民的生活状况。

　　外祖父开了家染坊，但随着家业的衰落，他变得吝啬、贪婪、专横、残暴，经常毒打外祖母和孩子们，狠心地剥削手下的工人。有一次阿廖沙因为染坏了一匹布，竟被他打得昏死过去。他还暗地里放高利贷，甚至怂恿帮工去偷东西。两个舅舅也是粗野、自私的市侩，整日为争夺家产争吵斗殴，疯狂虐待自己的妻子。在这样一个弥漫着残暴和仇恨的家庭里，幼小的阿廖沙过早地体会到了人间的痛苦和丑恶。

　　然而就是在这样一个可怕的环境里，也不乏温暖与光明。这就是以外祖母为代表的另外一些人，另外一种生活。外祖母慈祥善良，聪明能干，热爱生活，对谁都很忍让，有着圣徒一般的宽大胸怀。她如一盏明灯，照亮了阿廖沙敏感而孤独的心，她还经常讲一些怜悯穷人和弱者、歌颂正义和光明的民间故事给阿廖沙听，她对阿廖沙的影响，正像高尔基后来写的那样：
"在她没有来之前，我仿佛是躲在黑暗中睡觉，但她一出现，就
把我叫醒了，把我领到光明的地方……是她那对世界无私的爱
丰富了我，使我充满坚强的力量以应付困苦的生活。"另外，还
有乐观纯朴的小茨冈、正直的老工人格里戈里、献身于科学的
知识分子"好事情"，都给过阿廖沙以力量和支持，使他在黑暗
污浊的环境中仍保持着生活的勇气和信心，并逐渐成长为一个
坚强、勇敢、正直和充满爱心的人。

　　作为一部自传体小说，《童年》讲述的是作家一段沉重的童
年往事。对于他所经历并在心中留下过伤痛的人和事，那些
"铅一般沉重的丑事"，作家在叙述的时候，心情不可能是轻松
的，因此这部小说的基调在整体上显得严肃、低沉。但另一方
面，小说是以一个小孩的眼光来描述的，这样就给一幕幕悲剧场
景蒙上了一层天真烂漫的色彩，读起来令人悲哀但又不过于沉
重，使人在黑暗中看到光明，在邪恶中看到善良，在冷酷无情中
看到人性的光芒，在悲剧的氛围中感受到人们战胜悲剧命运的巨
大力量。

● **阅读建议**

　　这是一部自传体小说，阅读时可以先理出小说的情节线
索，看看阿廖沙在成长的过程中经历了哪些痛苦与磨难。有
条件的话，可以接着读《在人间》和《我的大学》，看看他后
来是怎样顽强成长的。

● 精彩片段

二

　　一种浓厚的、色彩斑驳的、离奇得难以形容的生活，以惊人的速度开始奔流了。在我的记忆中，那段生活，仿佛是由一个善良而且极端诚实的天才用美妙的语言讲出来的一个悲惨的童话。现在我把过去回想一下，有时连我自己也难以相信竟会发生那样的事，有很多事情我很想辩驳、否认，因为在那"一家子蠢货"的黑暗生活中，残酷的事情太多了。

　　但真理比怜悯更可贵。要知道，我不是在讲我自己，而是在讲那令人窒息的、充满可怕景象的狭小天地。在那里，普通的俄国人曾生活过，而且直到现在还在生活着。

　　外祖父家里，弥漫着人与人之间炽热的仇恨，大人都中了仇恨的毒，连小孩也热烈地参加一份。后来从外祖母嘴里我才知道，母亲来到的时候，她的两个弟弟正在坚决地要求与父亲分家。母亲突然回来，使他们的分家愿望更强烈了。他们害怕我的母亲讨回那份本来给她预备的，但是因为她违背外祖父的意愿"自己做主"结婚而被外祖父扣留了的嫁妆。舅舅们认为嫁妆应当分给他们。此外还为了谁在城里开设染坊，谁到奥卡河对岸库纳维诺村去，彼此早就无情地争吵不休了。

　　我们来了不久，在厨房里吃饭的时候，就爆发了一场争吵：两个舅舅忽的一声站起来，把身子探过桌子，冲着外祖父大叫大吼，像狗似的冤屈地龇着牙，哆嗦着。外祖父用羹匙敲着桌子，满脸通红，叫声像公鸡打鸣一样响：

"叫你们全给我讨饭去！"

外祖母痛苦得面孔都变了样儿，说：

"全都分给他们吧，你也好落得耳根清静，分吧！"

"住嘴，都是你惯的！"外祖父叫喊着，两眼直放光。真怪，别看他个子小，叫起来却震耳朵。

母亲从桌子旁站起来，慢慢地走到窗口，背转身去不看大家。

米哈伊尔舅舅忽然扬起手对着他弟弟的脸就是一下；弟弟大吼一声，揪住了他，两个人在地板上滚开了，发出一片喘息、呻吟、辱骂的声音。

孩子们都哭了，怀孕的纳塔利娅舅母拼命地喊叫，我的母亲把她拖走了，快乐的麻脸保姆叶夫根尼娅把孩子们撵出了厨房，椅子都弄倒了，年轻的宽肩膀的学徒"小茨冈①"骑在米哈伊尔舅舅背上，格里戈里·伊凡诺维奇师傅，这个秃顶、大胡子、戴黑眼镜的人，却平心静气地用毛巾捆着舅舅的手。

舅舅伸长了脖子，稀疏的黑胡子摩擦着地板，呼呼地喘得可怕。外祖父绕着桌子乱跑，悲哀地嚷叫：

"亲兄弟！亲骨肉！嗨，你们这些人啊……"

刚开始吵架，我就吓得跳到炕炉②上，我怀着恐惧的心情看外祖母用铜盆里的水给雅科夫舅舅洗去脸上流出的血；雅科夫一面哭一面跺脚，外祖母沉痛地说：

---

①〔小茨冈〕是学徒伊凡的外号，茨冈是对居住在俄罗斯的吉卜赛人的称谓。　②〔炕炉〕旧式俄罗斯厨房的炉灶，其上构筑一米多高、一米多见方的平台，可以在上面睡觉。

"该死的，这帮野种，清醒清醒吧！"

外祖父把撕破的衬衫拉到肩膀上，对她喊叫：

"老妖婆，看你生的这群野兽！"

雅科夫舅舅走后，外祖母躲到角落里，颤抖着，号啕着：

"圣母啊，求求您让我的孩子们通点人性吧！"

外祖父侧着身子站在她面前，望着桌子。上面的东西全给碰翻了，流了一桌子水。他低声说：

"老婆子，你看着他们一点儿，不然他们会欺负瓦尔瓦拉的，说不定……"

"算了吧，上帝保佑你！把衬衫脱下来，我给你缝缝……"

她用手掌捧着外祖父的头，亲了亲他的前额；他（他的个儿比她小）把脸贴到她的肩上。

"看样子得分家啦，老婆子……"

"得分家，老爷子，得分家！"

他们俩谈了很久。起先谈得倒融洽，后来外祖父就像准备打架的公鸡，用脚搓地板，指着外祖母，吓唬她，大声说：

"我就知道你，你比我疼他们！可是你的米什卡①是个笑面虎，雅什卡是个共济会②员！他们将来会把我的家产全都花光的，光知道挥霍……"

我在炕炉上翻翻身，因为翻得太笨，把熨斗碰掉了。它稀

---

① 〔米什卡〕对米哈伊尔的昵称，下文的雅什卡是雅科夫的昵称。

② 〔共济会〕18世纪在欧洲产生的带有神秘色彩的宗派团体。18世纪30年代传入俄国。一般人认为共济会员具有自由思想，不拘泥一般的社会习俗和礼节，所以共济会员在老百姓口中变成骂人的话。

里哗啦地顺着炉梯滚下去，扑通一声掉进脏水盆里。

外祖父一下子跳到炉梯上，把我拖了下来，细细地瞧我的脸，好像是初次看到我似的：

"谁把你放到炕炉上的？是妈妈吗？"

"是我自己上去的。"

"撒谎。"

"没有撒谎，是我自己上去的。我害怕。"

他轻轻地用手掌拍了一下我的额头，把我一推。

"活像他爸爸！滚开……"

我高兴地从厨房里跑了出去。

（选自《高尔基文集》第15卷，刘辽逸等译，
人民文学出版社1985年版，略有改动。）

● **点评**

这是阿廖沙刚来到外祖父家时所经历的一幕生活场景，舅舅们为争夺家产而争吵斗殴的情景使小阿廖沙饱受惊吓。这一幕真实反映了俄国下层人民沉重的生活状况，批判了小市民的自私残暴。

十三

我又搬到外祖父那里。

"怎么啦，小强盗？"他用手敲着桌子，迎面对我说。"现在我不养你了，让外祖母养你吧！"

"让我养我就养，"外祖母说，"你以为这是个什么了不起的

难题吗?"

"那你就养好了!"外祖父大叫一声，但是马上又安静下来，对我解释道:

"我和她完全各过各的了，如今我们样样都是分开的……"

外祖母坐在窗户下快速地织着花边，线轴快乐地击打着，密密麻麻插满了铜针的枕头在春天的阳光下像金刺猬似的闪光。外祖母本人像铜铸的一般，——一点儿没变！外祖父更干瘪了，满脸皱纹，他那棕红色的头发已经灰白了，安详的大模大样的动作变为急躁的忙碌，一对绿眼睛疑神疑鬼地张望。外祖母用嘲笑的口吻对我讲起她和外祖父分家的情形：他把所有的破盆破碗、瓶瓶罐罐都分给她，说道:

"这是你的，再别问我要什么了!"

然后，他把她所有的旧衣服、物件、狐皮大衣全拿走了，卖了七百卢布，把钱借给他的教子——一个做水果生意的犹太人——生利息。他简直害了吝啬病和丧失了羞耻心：他遍访一切老相识——从前手工业行会的同事和富商，向他们诉苦，说是孩子们把他弄得破产了，向他们哭穷要钱。他利用人家对他的尊敬，得了很多的钱——成把的大票子；外祖父拿着票子在外祖母鼻尖下晃悠，向她吹牛，像逗小孩似的逗她:

"瞧见吗，傻瓜？人家百分之一也不会给你!"

他又把所收集来的钱借给他的新朋友——一个细高个子、秃顶、村子里都喊他"马鞭子"的毛皮匠——生利息；还借给这个人的妹妹——小铺子的老板娘，一个脸蛋红红、眼睛褐色、像糖稀似的又软又甜的大肥婆。

　　家里面一切都是严格地分开的：今天是外祖母出钱买菜做午饭，明天就该外祖父买菜和面包。轮到他买的那天，午饭照例要坏些，外祖母买的全是好肉，而他总是买些大肠、肝、肺、牛肚子。茶叶和糖各人保存各人的，但是在一个茶壶里煮茶，外祖父惊慌地说：

　　"别忙，等一等！你放多少茶叶？"

　　他把茶叶放到手掌上，细细地数，说道：

　　"你的茶叶比我的碎，所以我该少放，我的叶子大些，多出茶色。"

　　他十分注意外祖母倒给自己的和倒给他的茶是不是同样的浓度，倒在两个茶碗里的分量也要平均。

　　"喝最后一杯吧？"在倒净所有的茶之前，她问道。

　　外祖父看了看茶壶，说道：

　　"好吧，喝最后一杯！"

　　连敬圣像点的长明灯的油也是各买各的。在共同劳动了五十年之后，竟干出这等事！

　　看着外祖父这些鬼把戏，我又好笑又厌恶，而外祖母只觉得可笑。

　　"你算了吧！"她安慰我说，"怎么回事啊？老头儿越老，反倒越糊涂！他八十岁的人了，也同样倒退八十！让他糊涂去吧，看谁倒霉；我来挣咱们俩的面包，怕什么！"

　　我也开始挣钱：我逢休息日，一大早就背着口袋走遍各家的院子，走遍大街小巷去捡牛骨头、破布、碎纸、钉子。一普特破布和碎纸卖给旧货商可以得二十戈比，烂铁也是这个价钱，一普特骨头得十戈比或八戈比。平时放学以后也干这玩意儿，每星期六卖掉各种旧货，能得三十至五十戈比，运气好的时候，卖得更多。外祖母接过我的钱，急忙塞到裙子口袋里，垂下眼睑，夸奖我：

"谢谢你，好孩子！咱们俩养活不了自己吗？咱们俩？有什么了不起的！"

有一次我偷偷地看她，她把我的五戈比放在手掌上，瞅着它们，默默地哭了，一滴混浊的泪水挂在她那副像海泡石似的大鼻孔的鼻尖上。

（选自《高尔基文集》第15卷，刘辽逸等译，
人民文学出版社1985年版，略有改动。）

● **点评**

　　这里记录的是阿廖沙与外祖母相依为命的一段生活。作者对外祖父的贪婪吝啬进行了尖锐的讽刺，对外祖母的宽厚善良和阿廖沙的懂事能干进行了细致的描绘。外祖母对着阿廖沙挣来的钱默默流泪的细节，感人至深。阅读时要注意体会其中的感情。

● **探究思考**

1. 这部小说中，哪个人物给你的印象最深，为什么？

2. 在如此艰难困苦、令人窒息的环境里，阿廖沙为什么没有被压垮或变坏，反而成长为一个坚强、勇敢、善良的人？你从中得到什么启示？

《昆虫记》：
谱写昆虫生命的诗篇

　　一个人耗尽一生的光阴来观察、研究昆虫，已经算是奇迹了；一个人一生专为昆虫写出十卷大部头的书，更不能不说是奇迹。这些奇迹的创造者就是法布尔，他的《昆虫记》（又译《昆虫物语》或《昆虫学札记》）被誉为"昆虫的史诗"。

　　作为昆虫学家，法布尔是非常严谨而细致的。他根据亲自观察来的大量的第一手资料，将昆虫鲜为人知的生活和习性生动地揭示出来，使人们得以了解昆虫的真实生活情景。如蝉在地下"潜伏"四年，才能钻出地面，在阳光下歌唱五个星期；蟋蟀善于建造巢穴，管理家务；蜘蛛在捕获食物、编织"罗网"方面独具才能；螳螂善于利用"心理战术"制服敌人；樵叶蜂能够不凭借任何工具"剪"下精确的圆叶片来做巢穴的盖子……相信你读了以后，一定会为这些小小生物的特殊本领而惊奇和赞叹。

　　《昆虫记》是优秀的科普著作，也是公认的文学经典，它行文生动活泼，语调轻松诙谐，字里行间情趣盎然。在作者的笔下，杨柳天牛像个吝啬鬼，身穿一件似乎"缺了布料"的短身燕尾礼服；小甲虫"为它的后代作出无私的奉献，为儿女操碎了心"；而被毒蜘蛛咬伤的小麻雀，也会"愉快地进食，如果我们喂食动作慢了，它甚至会像婴儿般哭闹"。多么可爱的小生灵！

　　值得一提的是，法布尔写《昆虫记》除了真实地记录昆虫的生活，还透过昆虫世界折射出社会人生。种种描写，无不渗透着作者对人类的思考，睿智的哲思跃然纸上。全书充满了对生命的关爱之情，充满了对自然万物的赞美之情。

那么，现在就让我们一起走进法布尔的昆虫世界，去聆听大自然的吟唱吧！

● **阅读建议**

对一些熟悉的昆虫，可以与自己日常的观察和生活经验联系起来，相互比较，这样会更有收获。对不熟悉的昆虫，则尝试着通过认真阅读，了解它们的习性。带着一颗爱心，你就能找到亲近万物的钥匙。

● **精彩片段**

黄翅飞蝗泥蜂在杀死蟋蟀时无疑是使出了最高明的手段的，所以有必要看看它是怎样杀死猎物的。我为了观察节腹泥蜂而多次进行的尝试使我大有收获，所以我立即把对节腹泥蜂使用过的行之有效的方法运用到黄翅飞蝗泥蜂上。这方法就是把猎手的猎物拿走，然后立即用另外一只活的来代替。我们前面看到黄翅飞蝗泥蜂通常在入洞前把俘虏扔下来独自走到洞底去一会儿，这样进行偷梁换柱就更为容易了。黄翅飞蝗泥蜂大胆而无所顾忌，会爬到您的手指头边，乃至于爬到您的手上来抓您刚才抢走而用来代替的另一只蟋蟀，这样，实验的结果就会极其理想，因为我们可以非常逼近地观察这个悲惨事件的全部细节。

找到活蟋蟀是容易的事情，只要随便掀起一块石头就会找到密密麻麻一大堆，全在那儿躲太阳。这些是当年的小蟋蟀，翅膀还没长好，没有成年蟋蟀的本事，还不会挖掘深深的隐避所，躲在里头不让黄翅飞蝗泥蜂发现。我可以随意捕捉，要多少有多少，不一会儿工夫我就备足了所需的蟋蟀。现在一切准备就绪了。我爬上观察所的高处，呆在黄翅飞蝗泥蜂村落中间的高地上静静等待。

一个猎手捕猎归来了，它把蟋蟀放到住所的入口处，独自进到洞里去了。我迅速拿走这只蟋蟀，把我的蟋蟀摆在离洞口稍远处。猎手回来了，它望了望便跑去抓住放得太远的猎物。我睁着大眼，聚精会神。我无论如何也不会放弃观看即将上演的这幕悲剧的机会的。蟋蟀惊慌失措，连蹦带跳拼命逃窜。飞蝗泥蜂朝它猛扑过去，彼此打成一团，尘土飞扬，两个决斗者轮番占着上风，一时胜负难分。最后，猎手终于赢了，蟋蟀被打得仰面朝天，仍在那儿足爪胡乱踢蹬，双颚乱咬。

猎手立即着手处理战利品。它反向趴在对手的肚子上，大颚咬着蟋蟀腹部末端的一块肉，用前足制止住蟋蟀粗大的后腿的疯狂挣扎，同时用中足勒住战败者抽动着的肋部，后足像两根杠杆似的按在蟋蟀的脸上，使蟋蟀脖子上的关节张得大大的。这时飞蝗泥蜂把腹部弯成九十度角，这样呈现在蟋蟀颚前的只是一个咬不到的凹面。我激动不安地看到，飞蝗泥蜂第一下刺在被害者脖子里，第二下刺在胸部前两节的关节间，然后再刺向腹部。说时迟，那时快，在非常短的时间内，凶杀的大业便完成了。飞蝗泥蜂整了整凌乱的服装，准备把牺牲品运到住所去，而垂死的蟋蟀腿脚还在颤抖着。

前面我只是平铺直叙地介绍了一下飞蝗泥蜂的捕猎过程，

现在我们在这种令人叹为观止的战术上花点儿时间吧。节腹泥蜂攻击的对手，几乎没有进攻性武器，它们处于被动地位，根本无法逃逸，它们唯一求生的可能性就在于身披坚甲，然而凶杀者却知道坚甲的弱点在哪儿。可这儿，情况多么不同啊！黄翅飞蝗泥蜂的猎物不但有可怕的大颚，这大颚要是能够咬住侵略者，就能够将对手开膛破肚的；而且它还有长着两排锐利锯齿而又强劲有力的双腿，这双腿可以用来跳得远远的，避开敌人，或者踢蹬对手，狠狠地把黄翅飞蝗泥蜂打翻在地。所以你们会看到，飞蝗泥蜂在用针蜇前，采取了多么小心的预防措施。被害者仰倒在地，无法利用后腿弹跳起来逃之夭夭，而如果它是处在正常的姿势受到攻击，它一定会这样做的，就像受节腹泥蜂攻击的象虫那样。它那带锯齿的大腿被黄翅飞蝗泥蜂的前足压住，无法发挥进攻性武器的作用，它的双颚被飞蝗泥蜂的后腿顶得离开老远，虽然张得大大的，咄咄逼人，却咬不到敌人的任何部位。但是对于黄翅飞蝗泥蜂来说，这一切还不足以使猎物无法伤害自己，它还需要紧紧勒住猎物，使之丝毫不能动弹，以便蜇针能把毒汁注入要刺的地方；也许正是为了使腹部无法动弹，黄翅飞蝗泥蜂才咬住猎物腹部末端的肉。太奇妙了，我们即使充分发挥丰富的想象力来拟定进攻计划，也无法找到比这更好的办法，而古代角斗场上的角斗士在与对手肉搏时，也不一定能采取比这更巧妙的经过精心计算的手段的。

　　我前面说过蜇针在俘虏身上刺了好几下，首先在脖子上，然后在前胸后面，最后在接近肚子根部处。正是匕首的这三下干脆利落的猛戳，表现出了本能所具有的天赋本领和万无一失的手段。让我们先回顾一下前面对节腹泥蜂的研究所得出的主要结论。黄翅飞蝗泥蜂的幼虫赖以为生的猎物，尽管有时完全不能动弹，却不是真正的尸体。它们只是全身或者局部麻醉了而已，其动物性生命程度不同地被消灭了，但是其植物性生命——营养器官的生命还长时间保持着，所以猎物不会腐烂，幼虫过了很久去吃它都还很新鲜。为了造成这样的麻醉，膜翅目猎手使用了当今先进科学可能会向实验生理学家建议的办法，即借助有毒的螫针破坏指挥运动器官的神经中枢。另外我们知道，节肢动物神经干的各个中枢或神经节的作用在一定范围内是各自独立的，所以损坏其中的某个神经节，只会引起，至少是只会立即引起相应节段的瘫痪；各个神经节彼此相隔得越远，越是如此。相反，如果神经节都连在一起，那么只要损坏共同的神经节，就会使神经分枝所分布的所有节段瘫痪。吉丁和象虫就是如此，节腹泥蜂把螫针刺向胸部神经中枢，只要一击就使它们瘫痪了。但是让我们剖开一只蟋蟀看看吧。是什么东西让蟋蟀的三对脚活动起来的呢？我们发现的东西，黄翅飞蝗泥蜂比我们的解剖学家更早发现：三个神经中枢彼此隔得很远。由此可见，用螫针重复刺三次，真是再符合逻辑不过的了。高傲的科学家啊，您甘拜下风吧！

　　就像被节腹泥蜂的螫针刺伤的象虫一样，被黄翅飞蝗泥蜂刺着的蟋蟀也不是真正死了，尽管表面看来如此。在这种情况下，猎物的外皮柔软，忠实地反映出其内部还存在着微弱的运动，从而用不着使用我为了证实节腹泥蜂的猎物方喙象还残存着生命而使用过的人工方法。因为，如果我们在凶杀事件后对一只仰卧着的蟋蟀持续不断地观察它一个星期，半个月甚至更久些，我们会看到它的腹部经过很长的间歇后，会有深深的搏动。我们往往还会看到触须的颤抖和触角以及腹肌十分明显的运动：彼此岔开，然后突然并拢。被刺伤的蟋蟀如果放在玻璃管里，可以完全新鲜地保存一个半月。黄翅飞蝗泥蜂的幼虫在把自己封闭于茧里前，要生活的时间不到半个月，所以它们直至宴会结束，保证都有新鲜的肉吃的。

（选自《昆虫记》卷一，梁守锵译，花城出版社 2001 年版。略有改动。）

● **点评**

　　这里记叙了黄翅飞蝗泥蜂捕食蟋蟀的过程。作者先是精心设计了实验，继而细致、专注地进行观察，最后运用自己丰富的生物学知识，对泥蜂特殊的捕食动作——"螯针三刺"，做出了科学的解释。原来，泥蜂这样做，是在"麻醉"自己的猎物。昆虫世界是多么神奇啊！

● **探究思考**

　　1.《昆虫记》中昆虫们的生活习性，常常被作者赋予人的思想和情感。你觉得这种写法好不好？有人说，昆虫也是生灵，它们与人有着丝丝缕缕的相通之处。你的看法呢？

　　2. 仔细观察一种昆虫，模仿《昆虫记》的笔法写一篇短文。

临摹、欣赏颜体书法

中国书法源远流长，是我们民族文化的瑰宝。研习、欣赏书法，可以增加书写的美感，增进对民族文化的了解和热爱，培养高雅的审美情趣。

临摹有两个意思，一是临，一是摹。摹是在范字上直接摹写，或用透明纸压在范字上描，或在范字的红模上描（这叫做"描红"），写成的字跟范字一样大小。临是看着帖上的字，在另外的纸上临写，写的字可以放大，也可以缩小。

临和摹各有长处，也各有不足。古人说："临书易失古人位置，而多得古人笔意；摹书易得古人位置，而多失古人笔意。"意思是说，临容易学到笔画，可是不容易学到间架结构；摹容易学到间架结构，可是不容易学到笔画。从难易程度来说，摹易临难。不管是临还是摹，都要以与范字"相像"为目标，从"形似"逐渐过渡到"神似"。

练习书法最好是临和摹结合起来，各扬其长，各避其短。此外，还要经常读帖，仔细观察、分析、体会，可以边读边用手"空临"。只要勤于练习，读帖和写字的能力自然会增强，对书法美也能体会得更深。

　　欣赏名家书法，是揣摩、领会名家书法的美感形象、审美价值。凡是供临摹的名家书法都值得认真欣赏，但值得欣赏的名家书法，不一定都要求我们拿来临摹。书法是以作品中的美的点画、字形和章法（布局）等传达书写者的功力修养、性格气质和精神境界的艺术品，欣赏时应多多品读，认真领悟。

　　颜真卿是唐代与欧阳询、褚遂良和柳公权齐名的四大书法家之一，颜体书法在我国书法史上有着重要的地位。颜体书法点画丰厚饱满，结构阔大端正，整体上显得大气磅礴、雄壮刚强、庄严肃穆，有人称赞它如"金刚怒目，壮士挥拳"，也有人称赞"自羲（王羲之）、献（王献之）以来，未有如公者也"。颜体书法对后世书法产生了深远的影响。颜体楷书名作有《多宝塔碑》《颜勤礼碑》《颜家庙碑》《大麻姑仙坛记》等，行书名作有《祭侄文稿》《刘中使帖》《裴将军诗》等。

　　下面以《颜勤礼碑》为例，来谈如何临摹颜体楷书。

　　结构　内外结构的字外紧内松，里面宽松，并向外面"撑"，外缘的笔画（尤其是竖）向外凸出，给人饱满、宽博的感觉，如"国（國）""司"等字；上下结构的字上紧下松，重心偏于上方，给人以崇高、挺拔的感觉，如"楚""岭

（嶺）"等字。

　　笔画　颜字横画很细，竖画很粗，有的竖画粗于横画好几倍。横画收笔处重按，非常突出；出钩时先收锋，而后上提出锋；捺笔也是先收后放。多数笔画起收要回锋，而且是圆的，棱角不分明，给人以敦厚、深藏的感觉；只有撇捺出笔是劲利的，而且是中锋出笔。多数字的主要一笔下笔很重，沉稳有力。

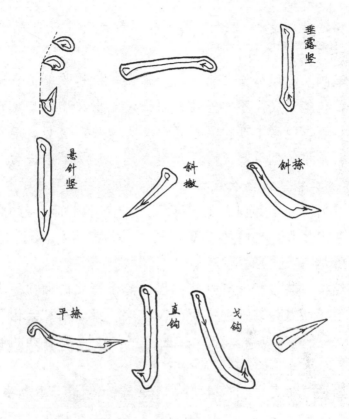

　　临摹颜字，最好是写大字，要写出"大气"来。另外，如果原碑有的字缺损得厉害，练习时可以跳过；有的笔画略有缺损，可以揣摩、推测着写。

　　下面我们来欣赏颜体行书《祭侄文稿》。

　　《祭侄文稿》是颜真卿祭奠从侄季明的文稿。季明在安史之乱中义不降贼，举家殉国。颜真卿在老泪纵横中撰文作祭，悲愤之情读之可感。后人称之为"天下第二行书"。下面从三个方面欣赏。

　　笔画　与颜体楷书相比，起笔、转折和收笔都有简化倾向，信笔而成，不作停顿和回锋，显出文稿的特点和行书的特点。笔画中部粗于首尾，有力大气沉之势。笔画边缘凹凸不平，显得凝涩而无浮滑之病。许多笔画成为"飞白"（笔画中露出丝丝点点的白地，像是枯笔写成的样子，如第四列"轻车都尉"的"车"字一竖下半部），具有特殊的艺术效果，也隐隐透露出书写时的悲情和怒气。（见后面附帖，下同）

　　结构　其结构也有打破常规、趋于简化的倾向。许多字四面微凸（如第三列"蒲州"二字、第四列"开国"二字），显得雄浑饱满；少数粗重的字笔画重叠（如"轻车都尉"的"车"字），则显得茂密。

　　章法　布局方面，字形大小、字距行距、墨色浅重，均变化无常，不死板。涂改、增添之处依然如故，尽显天然本色。全篇前后布局也有变化。首列数字稍工整，笔画粗重，字字独立，像是强压胸中怒火，又像酝酿书写情绪；自第三列开始，字渐草率，大小、斜正、字距、行距都有明显变化，渐渐进入悲愤情态；到文稿末尾，书写迅疾而极潦草，满腔悲愤如暴风骤雨倾泻无余。

　　帖中许多章印是后人收藏和鉴赏后所盖。

　　原作很长，这里仅选一部分附于后面，帖文如下：

　　维乾元元年，岁次戊戌，九月庚午朔三日壬申，第十三叔银青光禄（大）夫、使持节蒲州诸军事、蒲州刺史、上轻车都尉、丹阳县开国侯真卿，以清酌庶羞祭于亡侄赠赞善大夫季明之灵……

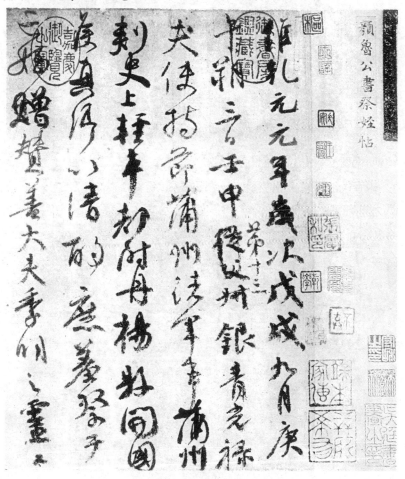

祭侄文稿

颜勤礼碑

颜勤礼碑

汉语词类表（实词）

词类	意　义	举　例
名词	表示人或事物（包括具体事物、抽象事物、时间、处所、方位等）的名称。	这是闰土的父亲所传授的方法。` 冬天的百草园比较的无味；雪一下，可就两样了。 出门向东，不上半里，走过一道石桥，便是我的先生的家了。
动词	表示动作行为、发展变化、心理活动、可能意愿等意义。	母亲送出来吩咐"要小心"的时候，我们已经点开船，在桥石上一磕，退后几尺，即又上前出了桥。 大家立刻都赞成，和开船时候一样踊跃，三四人径奔船尾，拔了篙，点退几丈，回转船头，驾起橹，骂着老旦，又向那松柏林前进了。
形容词	表示事物的形状、性质、状态等。	他是一个高而瘦的老人，须发都花白了，还戴着大眼镜。我对他很恭敬，因为我早听到，他是本城中极方正、质朴、博学的人。

词类	意　义	举　例
数词	表示数目（包括确数、概数和序数）。	赵庄是离平桥村五里的较大的村庄。 　　这十多个少年，委实没有一个不会凫水的，而且两三个还是弄潮的好手。 　　第一次算是拜孔子，第二次算是拜先生。
量词	表示事物或动作、行为的单位。	在停船的匆忙中，看见台上有一个黑的长胡了的背上插着四张旗，捏着长枪，和一群赤膊的人正打仗。 　　忽然教堂的钟敲了十一下。
代词	代替人和事物的名称，或起区别指示作用，或用来提问。	我听了这几句话，心里万分难过。啊，那些坏家伙，他们贴在镇公所布告牌上的，原来就是这么一回事！ 　　我也不停步，只在心里思量："又出了什么事啦？"

后　记

我们根据教育部制定的《全日制义务教育语文课程标准》（实验稿）编写这套义务教育课程标准实验教科书语文（七～九年级），得到了许多教育界前辈和学科专家的帮助和支持。我们特别感谢担任这套教科书总顾问的丁石孙、许嘉璐、叶至善、顾明远、吕型伟、梁衡、金冲及、白春礼，感谢担任编写指导委员会主任委员的柳斌和编写指导委员会委员的江蓝生、李吉林、杨焕明、顾泠沅、袁行霈，感谢担任学科顾问的刘国正、于漪、申士昌、冯钟芸、刘锡庆、张传宗、柳士镇、顾黄初、徐枢、章熊、钱梦龙、谢冕，感谢担任学科编写委员会委员的伊道恩、李运富、余蕾、金元浦、贺照田、徐国英、程翔，并感谢对这套教科书提出修改意见、提供过帮助和支持的所有专家、学者和教师。

这套教科书的学科编委会主任是吕达、顾振彪，副主任是温立三、顾之川、王本华；这套教科书的主编是顾振彪，副主编是顾之川、温立三；参加本册编写的人员是王本华、冯丹、赵晓非、温立三、聂鸿飞、黄成稳、谭桂声、刘真福、熊江平、孙瑞雪、宋子江、程翔、唐建新；封面画：徐悲鸿；插图：王国栋；责任编辑：张华娟；特约审稿：黄成稳、赵慎修。

本次修订根据教育部制定的《义务教育语文课程标准（2011 年版）》进行，由王本华主持。参加本册教材编写的人员是王本华、韩涵、胡晓、顾之川、王涧、曹眠；责任编辑是陈尔杰；审稿是王涧、王本华。

课 程 教 材 研 究 所
中学语文课程教材研究开发中心
2013 年 8 月